retirer

25 FEV '03

P.F

LES HOMMES MARQUÉS

GILLES THOMAS

LES HOMMES MARQUÉS

COLLECTION « ANTICIPATION »

6, rue Garancière - Paris VIᵉ

Édition originale parue
dans la collection Anticipation
sous le numéro 737.

ISBN 2-265-03967-5
ISSN 0768-3014

CHAPITRE PREMIER

A comme androïde...

Pour que j'en sois bien persuadé, et d'autres aussi, ils avaient imprimé la lettre sur mon front. La pointe partait des cheveux, et les jambages aboutissaient aux sourcils. Un beau dessin bien net, rouge vif.

Garral Saltienne, vingt-huit ans, né à Dole, France, sur Terra. A donné trois ans de sa vie à la guerre sans espoir. Le paie et le paiera.

A comme androïde... Une trouvaille de notre bien-aimé Farquart. Cela signifiait que nous étions déchus de nos droits d'êtres humains. Le cher homme ne nous aimait pas. Nous lui avions donné du fil à retordre. Terra voulait son autonomie, et s'était battue pour l'avoir. Durement. Trois ans d'une guerre suicide, perdue d'avance, baptisée la guerre sans espoir dès les premiers jours. Nous n'avions jamais eu d'illusions.

Contre nous, tout le système des Mondes Associés, dont nous avions jusqu'alors fait partie. Avec nous, la Ligue d'Ansée, mais l'alliance n'avait pas duré. Elle nous avait lâchés au bout d'un an pour signer une paix séparée. Observant une bienveillante neutralité, l'Union des Planètes Libres. Stricte et à sens unique. Nous n'avions pas obtenu d'elle un grain de blé ni une arme de poche.

Nous nous étions battus dans l'espace, puis sur notre sol, pied à pied. L'Armée MA avait nettoyé les dernières poches de résistance aux gaz paralysants. Ils nous voulaient vivants. D'ici à quelques jours, ce qui restait des rebelles terriens serait vendu sur le marché des androïdes.

Perspective : l'esclavage à vie. Une bonne plaisanterie !

A comme androïde... Un peu moins de droits que des animaux. Pour eux, il existe une Société protectrice. Mais personne ne se soucie de défendre un robot. Son propriétaire l'utilise à sa guise, et le détruit si ça lui chante. Un androïde est programmé pour tout accepter, et obéir avec promptitude.

Nous ne l'étions pas, mais ils avaient prévu un remède à cet inconvénient.

Mon système nerveux était à présent truffé de fils de vadium. Qui tiendrait la boîte de commande me tiendrait aussi. En laisse. Je ne suis pas douillet, mais il existe une limite à ce qu'un corps humain peut endurer. Aucune chance pour que je puisse jamais m'emparer de cette boîte. Astucieusement préréglée. Tout le monde pourrait jouer avec elle, sauf moi. Si je la touchais, je ferais sauter un verrou de sécurité, et j'établirais un contact maximum entre les ondes d'Aslim et mon réseau sensoriel. Et elle me tuerait. Par la torture.

Autant dire qu'il me faudrait, bon gré, mal gré, devenir le parfait androïde. Oui, Monsieur ; bien, Monsieur ; Monsieur désire ?

A propos de Mel Farquart, Président des Mondes Associés, on peut dire bien des choses. Pas qu'il est stupide. Le système de châtiment adopté frapperait les esprits mieux qu'une banale condamnation à mort. Quelle meilleure pénitence que l'esclavage pour qui a défendu son droit à la liberté ?

Nul ne nous viendrait en aide. Nous allions être mis en vente par petits groupes, disséminés dans tous les Mondes Associés, et offerts à prix suffisamment élevé pour écarter les acquéreurs indésirables. Nous deviendrions esclaves de quelque nanti du régime, aucunement enclin à ménager l'un de ces damnés rebelles terriens.

A comme androïde... Je n'avais pas encore décidé si j'allais l'accepter ou non. Lorsque toutes les issues sont fermées, il reste toujours une porte de sortie. Pour l'heure, ma devise c'était : attendre et voir. Un bouquin sur l'esclavage, lu dans ma jeunesse, m'avait au moins appris ceci : il existe de bons et de mauvais maîtres.

En ce moment, je naviguais dans les entrailles d'un transport de troupes, qui amenait trois mille des nôtres vers Talsie. Jusqu'à l'instant où ils remettraient ma boîte de commande à mon acheteur, j'étais confié aux bons soins de l'Armée MA. Pour simplifier les choses au maximum — on ne peut pas actionner trois mille curseurs à la fois, et les boîtes ne sont pas interchangeables, chacune étant

9

réglée sur son asservi —, ils nous avaient bouclés deux par deux dans les minuscules cabines. Pas plus inconfortables qu'autre chose. Deux mètres carrés d'espace vital, deux couchettes superposées, un lavabo nain qui crachait de l'eau au compte-gouttes, et les tinettes. Un casier alimentaire délivrait les repas à heures régulières. Très mangeables, mais portion congrue.

La lumière s'allumait à 6 heures et s'éteignait à 20. Rien d'autre à faire, toute la sainte journée, que se ronger les ongles, ou bavarder. En quinze jours de voyage, j'avais appris par cœur mon compagnon de cellule, Tarri Janvier. Un petit homme brun, chevelu et poilu, bavard comme une pie, et qui passait avec aisance d'une exubérante gaieté à un état dépressif total. Sur son front étroit, la pointe du A s'enfonçait dans des cheveux crêpelés, et les jambages disparaissaient dans une broussaille de sourcils. Numéro et lettres tatoués sur son poignet étaient eux aussi dissimulés par des touffes de poils.

Les miens, en revanche, étaient bien visibles. ATOF 478 723. ATOF : à tout faire.

En règle générale, les androïdes sont spécialisés. En plus d'un numéro de série, ils sont marqués d'un sigle indiquant l'usage auquel ils sont destinés. Usages simples. JA pour jardinier, DOM pour domestique, OUV pour ouvrier, et ainsi de suite. Il n'existe pas de robots capables d'effectuer des tâches trop complexes. Tout est une question de circuits : on ne peut les accumuler indéfiniment dans un corps qui ne pourra pas dépasser un volume donné.

Pour nous, les robots humains, le problème s'était posé du sigle qui nous serait affecté. Question résolue par ATOF, tout simplement. J'avais été pilote de navire spatial, et Tarri mécanicien. ATOF. Pourquoi pas ? Qui nous achèterait ne le ferait pas pour acquérir un mécanicien ou un pilote, mais bien pour devenir possesseur d'un esclave contraint à la dévotion par le vadium inséré dans ses nerfs sensitifs. Quel genre d'être aurait du goût pour cette forme de domination ?

Tarri était capable d'extrapoler sur ce sujet des heures durant. Il avait l'imagination vive et jonglait avec des situations déplaisantes jusqu'à ce que je lui envoie ma chaussure à la tête, dans l'espoir de le faire taire. Peine perdue. Il esquivait le projectile et s'exclamait sur un ton de triomphe geignard :

— Tu vois bien ! Si tu tenais ma boîte, en ce moment, tu ne déplacerais pas le curseur ?

— Va au diable ! Si j'avais ta boîte, tu te garderais bien d'agiter ta foutue langue bavarde !

Tarri soupirait et s'enfermait dans un silence morose. Pas pour longtemps, hélas ! J'occupais la couchette du haut, lui celle du bas. Cinq minutes, peut-être, de répit, puis sa tête pointait sous le rebord d'acier, comme une tortue sortant de sa carapace.

— Eh ! Garral ! T'es du genre beau gosse, toi. T'as toutes les chances d'hériter d'une poupée un peu sadique. Le robot d'amour, quoi ! Oui, Mâme ; tout à votre service, Mâme. T'as pensé à ça ?

Je ne risquais pas de l'oublier. Il me le rappelait environ vingt fois par jour.

— Tarri, si tu m'obliges à descendre pour te fermer la gueule, tu vas le regretter !

Mes menaces n'avaient pas plus d'effet que la chaussure. Ma faute : je ne les mettais jamais à exécution.

— Remarque que, beau gosse, t'as une chance de t'en tirer pas trop mal, si tu sais plaire à la nana. Mais moi ? Moche comme un pou et cinquante berges, je vais hériter de quoi ? De quoi, dis-moi un peu ?

Son visage simiesque se plissait, mélange de douleur et de colère.

— Mais qu'est-ce que j'ai été foutre dans cette guerre de merde ? J'avais une femme et deux gosses. Sais même pas ce qu'ils sont devenus. Ma vieille doit me croire mort. Sûr que j'aurais mieux fait de crever ! Vacherie !...

— Laisse glisser, Tarri. La mort, c'est la dernière porte et, celle-là, ils ne peuvent pas la fermer. Si les choses tournent trop mal, il sera toujours temps de la prendre...

— Toi et ta foutue philosophie ! Me demande bien pourquoi ils ont fourré du vadium dans tes nerfs. T'en as pas.

— J'en ai, mais je ne prends pas plaisir à tirer dessus, voilà tout. Ça t'avance à quoi, d'imaginer toutes les emmerdes possibles ? C'est du masochisme. Installe-toi dans le présent, bon Dieu ! Et laisse le futur où il est. Il viendra bien assez tôt.

12

— Sûr que t'as raison, mais j' peux pas m'en empêcher. C'est plus fort que moi.

C'était plus fort que lui, en effet. Rien d'autre à faire que d'attendre la fin de sa crise de découragement. Ensuite, il redevenait jovial, rigolard et bon compagnon. Je l'aimais bien.

Ils nous débarquèrent sur Talsie par groupes de trente, menottes aux mains et bien encadrés de militaires. Toujours le même problème. Pour actionner trente curseurs, il faut trente pouces. Les menottes et les soldats en armes nous contenaient très bien.

Je n'eus pas grand loisir d'examiner le cosmoport de Farewell, analogue, du reste, à tous ceux que j'avais pu connaître. Il faisait une de ces journées tièdes et douces qui incitent au vague à l'âme. Le ciel de Talsie était d'un bleu tirant sur le mauve, et des petits nuages brillants y dérivaient. Son soleil est un géant bleu qui a la réputation de chauffer terriblement, mais nous nous trouvions dans l'hémisphère Nord, au printemps.

Une navette nous embarqua, et nous partîmes vers Raugan où les trois mille rebelles seraient regroupés en attendant la vente.

Un camp de plus à ajouter à la liste de ceux qui m'avaient abrité depuis ma capture. Pas différent des autres, et la menace de l'action du vadium sur mes nerfs si je ne me montrais pas suffisamment docile. J'étais docile. Peu après l'opération, j'avais expérimenté, à titre documentaire, le déplacement du curseur sur sa ligne graduée. Ça me suffisait. Je n'ai pas la tête plus dure que nécessaire.

Le camp de Raugan, vidé de ses soldats pour nous faire place, n'avait pas été modifié, et nous bénéficiions des avantages de toutes les installations.

Je pus enfin prendre une douche prolongée, qui me débarrassa de la crasse accumulée durant le voyage. Les repas étaient convenables, assez copieux, et les couchettes du dortoir confortables. Je m'engourdissais dans le présent et Tarri semblait aussi se satisfaire de son sort actuel.

Les couchettes se présentant par rangées de trois, notre camaraderie avait inclus un nouveau venu, Valian Border. Un rouquin, avec des yeux d'un bleu de porcelaine, trente-deux ans, né à Chicago et ayant pratiqué la profession de dentiste avant de devenir un anonyme de la guerre sans espoir. Un optimiste à tous crins, persuadé qu'il s'en tirerait au mieux et ayant sans doute raison. La chance accompagne ceux qui croient en elle.

Trois jours après notre arrivée, nous passâmes tous, les uns après les autres, devant les caméras. Etablissement d'un catalogue destiné aux acheteurs éventuels. Nu, portant au cou une plaquette qui indiquait mon matricule en gros caractères, j'évoluai quelques instants sous les projecteurs.

Tarri avait eu son tour avant moi et il m'accueillit en demandant :

— Alors, vedette, tu crois que tu passeras la rampe ?

— Peux pas dire. C'est la première fois que je tourne, et ils ne m'ont pas montré les rushes.

Le lendemain, nous assistâmes sans aucun plaisir à une séance de télévision obligatoire, qui nous réunit dans la salle de spectacle.

Durant les séquences d'enregistrement de la veille, un captif houspillé s'était laissé aller à rendre à un soldat le coup de poing qu'il avait reçu. La chose à ne pas faire. Il devait à présent régler sa note, et nous, apprécier la retransmission en direct.

Dix minutes d'action du vadium sur les nerfs, curseur en bout de course. Plus que suffisant. Un peu trop.

Ils pouvaient m'obliger à être présent. Pas à regarder et je fixai avec obstination la pointe de mes chaussures. Un ennui, toutefois, les oreilles n'ont pas d'obturateurs et le type criait beaucoup. Je trouvai une parade en échafaudant mentalement une série de calculs complexes. Rien de tel que les chiffres pour s'abstraire du monde extérieur.

Tarri me réveilla en enfonçant son coude dans mes côtes. Il chuchota :

— L'a claqué, le pauvre mec !

Très claqué, en effet. Bouche tordue par une ultime grimace, et des yeux figés. Il avait sans doute le cœur faible. Tant pis pour lui. Ou tant mieux. La pendule m'apprit que le puni avait pris le parti d'abandonner la scène à mi-programme.

— Vacherie ! dit Valian, à ma gauche.

— Vacherie ! dit Tarri, à ma droite.

— Vacherie ! dis-je.

Oraison funèbre en triple exemplaire.

La soirée fut morose et très silencieuse. Je vis deux fois Tarri palper son côté gauche. Les yeux plissés, il semblait écouter une petite voix à peine audible. Valien avait perdu quelque part son incurable optimisme. Mes propres pensées examinaient un problème insoluble. Etait-ce une chance, ou non, d'avoir un cœur solide ?

Attendre et voir. Attendre et voir, rien de plus.

*
**

Les premiers rebelles vendus commençaient à quitter le camp.

Ça se passait toujours de la même façon. Les haut-parleurs criaient un numéro, ou plusieurs, et donnaient ordre aux appelés de se présenter à la porte C. Elle les avalait et ne les rendait plus.

Lorsque mon numéro résonna, il vint en compagnie de quatre autres. Coïncidence étonnante, Valian en faisait partie. Pas Tarri. Le petit homme eut à peine le temps de nous dire adieu, en y ajoutant un « merde » vigoureusement exprimé. La dernière vision que j'eus de son visage de singe tourmenté m'apprit qu'il entrait dans une phase dépressive. Je n'étais pas gai. Valian non plus.

Nous gagnâmes de concert la porte C. Nous ne possédions rien, nous n'avions donc rien à emporter. Mais avant de nous remettre à nos convoyeurs, l'Armée nous dépouilla d'un der-

16

nier lambeau d'humanité. Nous lui rendîmes, docilement, les vêtements qu'elle nous avait prêtés. Les androïdes ne sont pas vendus vêtus. A charge pour l'acquéreur de les habiller s'il le juge bon, ce qui n'est pas toujours le cas.

Nous embarquâmes dans une navette, menottes aux mains, sous la garde de trois soldats. Nous étions cinq. En bavardages chuchotés, que nos gardiens tolérèrent, nous fîmes connaissance avec les autres. Carmel Lériche, trente et un ans : un géant noir, magnifique, qui aurait pu poser pour une affiche touristique vantant les charmes de l'Afrique. En fait, il était martiniquais, né à Fort-de-France. Perdy O'Connor, Irlandais, vingt ans, né à Belfast, cheveux noirs et yeux bleus. Et Roggio Guerrez, Chilien, vingt-cinq ans, né à Valparaiso. Le parfait charme latin. Cheveux et regard de laque sombre.

— Ce que nous avons en commun, dit Valian, c'est que nous sommes tous de beaux spécimens d'humanité, et jeunes. Avec mes trente-deux ans, je suis le doyen. A quoi sommes-nous destinés ?

Carmel sourit, découvrant des dents éclatantes. La teinte de palissandre de sa peau estompait les contours du A écarlate. Sa voix douce mouillait un peu les syllabes.

— A un bordel pour femmes.

— D'accord, dit Roggio. Ça me va

— Ouais, intervint Perdy. D'accord pour les chouettes, mais pour les moches ?

— Suffit d'un peu d'imagination, rétorqua Roggio, et de fermer les yeux.

Nous rîmes tous, un peu trop fort, et l'un de nos gardes aboya d'un ton hargneux :

— Silence !

La navette nous promenait dans un ciel bleu mauve, très pur. Le voyage dura assez longtemps. Environ deux heures, pour autant que je pouvais en juger. Elle nous débarqua sur l'aire d'atterrissage d'une vaste propriété.

Un androïde, bien réel celui-là, apparut, et s'adressa aux soldats :

— Si ces messieurs veulent bien me suivre ? M. Délilaria vous attend, avec les sous-humains.

J'entendais pour la première fois cette expression, mieux adaptée certes à notre condition que le terme androïde. Celui qui nous guidait, nu, sans âge et asexué, ne nous ressemblait pas. Que nous portions au front la même marque rouge que lui n'y changeait rien. Un visage d'androïde est inexpressif. Nul sentiment ne s'inscrit jamais sur sa face figée. Un androïde ne rit pas, ne pleure pas, ne ressent ni le froid ni le chaud, ni la joie ni la douleur. Leurs traits sont immuables et leurs yeux sans reflets. Quels que soient les soins apportés à la réalisation, un androïde ne reproduit pas réellement l'être humain. Il n'en est que mauvaise copie.

On avait donné à ce robot la peau cuivrée, les pommettes saillantes et le nez busqué d'un Indien d'Amérique. Ses cheveux raides et bruns étaient tressés. Il parlait, marchait, et ne semblait pas moins surgi d'un musée de figures de cire ; statue animée par magie.

J'étais si occupé à regarder ce dos bronzé et

18

le petit trou à hauteur des reins où s'insérait la clé de commande, que j'entrai sans y prendre garde dans une pièce luxueusement meublée. Ses larges baies s'ouvraient sur le jardin. Une végétation exubérante passait par toutes les gammes du bleu, assorti de quelques notes rouges.

— M. Délilaria verra les sous-humains plus tard. Ils attendront ici. Si messieurs les soldats veulent bien me suivre...

Après nous avoir retiré nos menottes, les trois gardes disparurent sur les talons de l'androïde. L'un d'eux transportait nos boîtes de commande.

Nous nous installâmes dans la pièce. Tapis épais, beaux objets, sièges confortables.

— Riche, le patron, dit Carmel.

Il résumait l'impression générale.

— Qu'est-ce qu'il veut de nous ? demanda Valian.

— Je me demande, dit Roggio, rêveur, s'il existe une Mme Délilaria ?

— Penses-tu ! répondit Perdy. Le type est pédé. Il nous a acheté pour se constituer un harem.

L'hypothèse, somme toute plausible, ne me plaisait pas.

Carmel se pencha pour tripoter le nautile géant des mers de Jarma qui étincelait de nacre bleue sur une table basse. Il dissimulait les cigarettes. Hormis Valian, non fumeur, nous nous précipitâmes tous sur la provende et Perdy résuma l'avis général en disant :

— Autant en profiter avant que les interdictions commencent à pleuvoir !

En emplissant mes poumons avec délice, j'essayais de calculer de quand datait ma dernière cigarette. Quatre mois ? Cinq ?

Je mis à profit une idée qui me venait et découvrit sans trop de pleine le bar, dissimulé dans un meuble ancien qui avait dû coûter une fortune.

— Si vous avez envie de boire un coup, dis-je, sautez sur l'occasion. Elle risque de ne pas se représenter de sitôt. Mais si vous voulez mon avis, mieux vaut téter à la bouteille et ne pas choisir tous la même. Ça laissera moins de traces.

J'optai pour le gir. L'alcool explosa dans mon estomac vide. Pour un peu, j'aurais presque trouvé du charme à l'existence. Longtemps que je ne m'étais pas senti aussi bien.

— Le fils de garce soigne sa cave, dit Carmel, béat.

Il venait de vider d'un bon tiers la bouteille de caliane.

Nous avions à peine refermé le bar que l'androïde indien entra. Son poignet portait bien un numéro, mais pas le sigle indiquant sa qualification. Il était de plus grande taille que ne le sont d'ordinaire les robots, et avait une tête très volumineuse. A mon avis, son propriétaire l'avait fait fabriquer sur mesure.

— M. Délilaria va recevoir d'abord le sous-humain Valian Border.

Sa voix était plate, sans intonation. Il récitait. Dans sa bouche, le terme sous-humain perdait de son sens insultant.

Valian le suivit, passant par une petite porte qui se referma. J'allai la pousser ; elle ne s'ouvrit pas. Serrure magnétique. Je me rassis. La demeure était silencieuse. Chants d'oiseaux et crissements d'insectes montaient du jardin.

Valian ne revint pas. L'androïde réapparut et emmena Carmel. Les uns après les autres, mes compagnons me quittèrent et je restai seul. La brève euphorie créée par l'alcool s'était évanouie. Je pensai à la faire renaître et renonçai. A quoi bon? Quelques gorgées de plus ne modifieraient pas ma situation. A comme androïde... Sous-humain...

L'Indien vint me chercher. Je le suivis, tout au long d'un couloir, puis dans un ascenseur qui me hissa jusqu'au toit-terrasse.

J'entrai dans une pièce entièrement vitrée. Il y régnait une chaleur de four et je commençai immédiatement à transpirer.

Un homme était assis derrière un vaste bureau d'acier bleu. Cheveux noirs, visage momifié, la peau recuite de soleil tendue sur des os saillants. Peu de rides. Un coûteux traitement antisénescence lui avait laissé une jeunesse relative. Pas plus d'une apparente cinquantaine bien conservée, mais ses yeux le trahissaient. Son regard était celui d'un homme très âgé. Il portait une robe de laine blanche de style arabe.

Je ruisselais et j'avais l'impression de manquer d'air. La pièce était une fournaise. Mais lui ne transpirait pas. Il m'observait et ses longs doigts secs jouaient avec ma boîte de commande.

Le fils de salope me sourit sans dire un mot et son pouce actionna le curseur. Jusqu'en bout de course.

J'essayai vainement de rester debout. Je basculai et me repliai en position fœtale, tétanisé, la sueur giclant de tous les pores de ma peau. Le feu infernal dévorait mes nerfs sensitifs.

Je luttai pour garder le contrôle de mes cordes vocales et perdis. Je râlai.

La douleur disparut aussi soudainement qu'elle était née. Je tremblais et j'avais dans la bouche un goût de bile. Péniblement, je réussis à me relever en prenant appui sur un coin du bureau.

Délilaria souriait toujours. Ma boîte de commande avait disparu.

— Assieds-toi.

Sa voix était douce, calme, bien modulée.

Je lâchai mon point d'appui et parvins à faire les deux pas qui me séparaient d'un fauteuil. Je tremblais toujours, mais moins violemment. Assis, je me sentis un peu mieux.

— Etablissons bien les choses, dit Délilaria. Je ne suis pas sadique. Sauf en cas de nécessité, je ne me servirai plus de cette boîte, mais il était indispensable de placer nos rapports sur des bases nettement définies. Je ne veux pas d'histoire. En aucun cas. Selon toutes probabilités, tu vas rester ici assez longtemps. Je commanderai et tu obéiras. Ce point mis à part, tu seras bien traité. Je ne vous ai pas achetés pour mon usage personnel, mais pour spéculer. Vous n'êtes pas très nombreux. A mon avis, il y aura bientôt une demande supérieure à l'offre et les prix vont monter.

Il sembla rêver un moment à des bénéfices

futurs, mais il n'était pas passionné. Il calculait, froidement. Il reprit :

— Maintenant, écoute-moi bien. Je ne veux ni te voir ni t'entendre. Géronimo transmettra mes ordres qui seront exécutés à la lettre. Tu ne pourras sortir de la partie de la maison qui vous sera réservée qu'aux heures autorisées. Toute demande à mon intention passera par Géronimo. J'espère qu'il y en aura le moins possible. Pas d'histoires, et nous nous entendrons très bien. Si tu désobéis, tu seras puni. Je me fais bien comprendre ?

— Très bien.

— Très bien qui ?

— Très bien, Monsieur.

— Autre chose. Je vous ai choisis jeunes et bien bâtis. Je ne veux pas que mon capital se dévalue. Vous aurez à entretenir votre forme, quotidiennement. Géronimo vous fera part de mes désirs à ce sujet. Considère qu'il est mon porte-parole. En toutes circonstances. Compris ?

— Oui.

— Oui qui ?

— Oui, Monsieur.

Le « Monsieur » m'écorchait quelque peu le gosier. Délilaria ne m'inspirait pas une sympathie délirante.

Il m'observait. Ses longs doigts momifiés jouaient avec une règle en verre noir d'Obsal. Il frappa l'angle du bureau et elle émit un sanglot cristallin.

— Tu me détestes. Ce qui importe peu. Je ne te demande pas de m'aimer. Seulement de m'obéir. Rappelle-toi bien ça. J'ai dit que je n'utiliserai plus ta boîte. A condition, bien sûr, que tu ne m'y obliges pas. Tu es dur à mater. Je vous ai tous testés et c'est ton curseur qui est resté en action le plus longtemps. J'espère que je n'aurai pas d'ennuis avec toi.

— Non, Monsieur.

— Parfait ! Ah ! encore un point ! Ma demeure n'est pas une prison. Ses murs sont aisés à franchir. Souviens-toi de ne pas le faire. Si tu disparais, j'actionnerai le curseur. Les ondes d'Aslim trouveront le vadium dans tes nerfs où que tu sois. Tu le sais ?

— Oui, Monsieur.

— Que ne te vienne pas non plus l'idée de t'associer avec tes camarades pour régler le problème des boîtes. Elles seront rangées dans mon coffre, et il est relié au tableau central de police le plus proche, de même que les serrures de la maison. Tu as bien compris ?

— Oui, Monsieur.

— Très bien. L'entretien est terminé. Tu peux t'en aller. Géronimo t'attend sur la terrasse. Il te prendra en charge.

La porte s'ouvrit et se referma derrière moi. Je ne l'avais pas salué. Minuscule victoire, mais j'en avais besoin. Il s'était suffisamment essuyé les pieds sur moi pour que je me sente réduit à l'état de tapis-brosse.

CHAPITRE II

Délilaria n'avait pas menti. Nous étions bien traités. Pas d'autre obligation que deux heures d'entretien physique quotidien qui s'effectuaient au gymnase, sous le regard inexpressif de Géronimo. Nous avions été pourvus de vêtements, nous habitions l'aile ouest de la maison et y disposions d'une chambre pour chacun. Nous disposions également d'un living. Nous y prenions nos repas, servis à heures régulières par un androïde DOM.

Un certain nombre de serrures avaient été réglées pour nous et nous en possédions la clef. Nous avions l'autorisation d'utiliser la piscine de 12 à 14 heures, et de nous promener dans le parc entre 14 et 16.

Je trouvais ma situation très acceptable. Sans le A sur mon front, qui se reflétait chaque matin dans la glace, j'aurais pu me croire redevenu un être humain. Je n'avais pas revu Délilaria et ne m'en plaignais pas du tout.

Il se cantonnait dans la partie est de la demeure. Il semblait mener une existence très solitaire, et quittait rarement son domaine. En quinze jours, sa navette n'avait décollé que deux fois.

Une semaine après notre arrivée, le bienveillant Délilaria nous avait offert, par l'intermédiaire de Géronimo, un androïde femelle marqué du sigle AMO. Je ne m'étais pas fait prier. Je n'avais pas vu une femme depuis ma capture. Ce succédané, malgré son regard vide et sa voix plate, remplissait parfaitement son office. Nous avions baptisé d'un commun accord cette poupée châtaine « Chérie ».

Un matin de plus, très ensoleillé.

Nous avions été réveillés de bonne heure par le rugissement de la navette et nous prenions notre petit déjeuner. Le café était très bon, la nourriture soignée.

Je m'interrogeais sur Délilaria. Il nous traitait bien, mais, d'évidence, par souci de ne pas abîmer la marchandise et non dans un but humanitaire. Bon psychologue. La prise de contact, en nous prouvant qu'il utiliserait la boîte dès qu'il le jugerait nécessaire, nous avait mis en condition pour l'obéissance. Et nous étions dociles. Tous. Sauf Perdy.

Il était nerveux, émotif, et très jeune. Il regimbait et pestait en permanence contre les interdictions. On pouvait être sûr qu'il aurait envie de se baigner ou de faire un tour dans le parc en dehors des heures autorisées. En passant par le parc, il tentait de visiter les parties de la demeure qui nous étaient interdites, et n'était arrêté dans son exploration que par les serrures.

Nous· lui prêchions la prudence. En pure perte. Il riait et finissait par clore la discussion en nous appelant « papa » avec mépris.

Je terminai ma tasse de café en regrettant fortement l'absence de cigarettes. Délilaria ne poussait pas la bonté d'âme jusqu'à nous en fournir.

Une navette qui atterrissait ronfla, couvrant les chants d'oiseaux. Il était 9 h 5 et il nous restait presque une heure à tuer en attendant l'entraînement quotidien. Ce qui caractérisait le lent défilement des jours, c'était une bonne dose d'ennui.

Je pris un bouquin entamé la veille. Valian, Carmel et Roggio commencèrent une partie de dés. Perdy regardait par la fenêtre. Un androïde DOM apparut et desservit la table.

Géronimo entra, silencieusement comme à son habitude, et énonça :

— M. Délilaria reçoit une invitée. Durant une semaine, les sous-humains ne sortiront pas de l'aile ouest. L'entraînement est provisoirement supprimé. La piscine et le jardin sont interdits.

Il pivota et sortit.

— Eh bien, ça ! S'il croit que je vais rester bouclé ici ! s'exclama avec rage Perdy.

Carmel intervint, conciliant :

— Une semaine, ce n'est pas bien long...

— Tu trouves qu'on ne s'emmerde pas déjà assez comme ça ?

— Bah ! dit Valian. Un peu plus, un peu moins...

— En tout cas, dit Roggio, le patron ne veut pas nous montrer. Une invitée ? Je me demande quelle tête elle a.

Ses yeux veloutés brillaient.

— Je la verrai, dit Perdy. Si tu as assez de cran, tu peux en faire autant.

— Ça t'avancera à quoi ? demanda calmement Carmel.

— A quoi, en effet ? l'appuyai-je. De toute façon, belle ou laide, jeune ou vieille, elle n'est pas pour toi. Si tu en doutes, regarde ton front dans la glace.

— Va te faire foutre ! Si ça te plaît de te comporter en limace, tant mieux pour toi ! A sur le front ou pas, je suis toujours un être humain, et je le prouverai !

Il quitta la pièce à grandes enjambées rageuses.

— Ce jeune con ! dit Carmel. Si Délilaria le pince, il le brisera.

Je partageais pleinement son avis. La révolte de Perdy était superficielle, trop irraisonnée. De plus, son émotivité le rendait très vulnérable.

— Nous ne pouvons pas l'empêcher de se brûler les ailes, dit doucement Valian. C'est un gosse. Il refuse de comprendre...

— Je ne suis pas sûr d'avoir très bien compris moi-même, dis-je. Parlons d'autre chose.

— Tu as raison, dit Carmel. On survit mieux en oubliant de penser. Qu'allons-nous faire pour occuper nos journées ?

— Cartes, dés, lecture, musique ou télévision. Tu as le choix.

— Commençons par un poker. Que je te reprenne ce que tu m'as gagné hier.

Gains très théoriques. Nous n'avions rien d'autre que des jetons à mettre en jeu. Mais cela tuait le temps.

Deux jours plus tard, Perdy nous annonçait triomphalement qu'il avait vu la fille dans le parc et qu'elle était jeune, blonde et très jolie. J'espérai qu'il se satisferait de cette petite victoire, mais il continua de rôder hors des limites autorisées, aussi souvent que possible.

Encore deux jours, et il nous apprit qu'il lui avait parlé.

— Elle est très gentille. Elle s'appelle Callia, et elle a dix-neuf ans. Elle vient ici de temps en temps, pour distraire Délilaria, mais elle fait ça pour le fric. Elle ne l'aime pas du tout.

— Pour l'amour de Dieu ! s'exclama Carmel. Tu n'as pas l'intention de coucher avec cette fille ?

— Bien sûr que si ! J'ai rendez-vous avec elle demain, dans le parc.

— Tu es complètement cinglé ! dis-je. Tu imagines la façon dont Délilaria va réagir s'il l'apprend ?

— Il ne le saura pas.

— Bon Dieu ! dit Roggio. La maison est pleine d'androïdes ! Il suffit qu'un seul d'entre eux te voie avec cette fille ! Tu ne...

— Fous-moi la paix ! Je ne te demande pas ton avis !

Il quitta la pièce, et je l'entendis prendre l'escalier au pas de charge.

Il partit pour son rendez-vous le lendemain vers 13 heures, moment où Délilaria faisait sa sieste. Il était exalté et très joyeux.

Il en revint morose, les yeux inquiets. Tout d'abord, il ne voulut rien dire, puis il avoua :

— Géronimo nous a surpris...

— Oh! bon Dieu!

— Oh! merde!

Carmel et Valian s'étaient exclamés en même temps.

J'avais envie de jurer aussi. Il n'aurait rien pu arriver de pire. Un androïde ordinaire n'aurait peut-être rien rapporté à Délilaria, ils s'en tiennent généralement à leur programmation, mais Géronimo...

— Qu'est-ce qu'il va me faire? demanda Perdy.

Il crevait de peur et le cachait très mal. Nous essayâmes de le réconforter. Ça n'allait pas plus loin que les mots. Nous gardâmes pour nous les : « Je te l'avais bien dit ». Ils ne lui auraient pas rendu la pilule moins sombre.

Géronimo vint le chercher vers 15 heures.

— M. Délilaria désire voir immédiatement Perdy O'Connor.

Perdy le suivit, serrant les dents. Il frémissait nerveusement.

Nous attendîmes, sans échanger un mot. La même inquiétude nous taraudait.

Nous entendîmes les pas, environ une heure plus tard. Lents, pesants, fatigués. Nous nous précipitâmes tous dans le couloir.

Perdy s'arrêta, appuyé au mur. Personne n'ouvrit la bouche.

Il avait été maltraité. Durement. Et ça se voyait.

Ses vêtements et ses cheveux étaient trempés de sueur. Sa peau semblait étirée sur l'ossature de son visage. Deux filets de sang avaient séché aux commissures de ses lèvres. Ses yeux étaient rougis, soulignés de cernes noirs. Je n'aimai pas l'expression de son regard.

Il se détacha du mur et dit d'une voix atone :

— Laissez-moi. Je ne veux voir personne. Je vais me coucher.

Il monta l'escalier, marche par marche, une main accrochée à la rampe. Il disparut au tournant du palier.

— Le salaud ! dit doucement Carmel.

Il exprimait ce que nous pensions tous.

Mes mains tremblaient un peu. Je crevais d'envie de les nouer autour du cou maigre de Délilaria.

— Laissons-le, dit Carmel. Pour le moment, nous ne pouvons rien faire pour lui. S'il peut dormir, ce sera aussi bien. Ensuite, il faudra essayer de lui parler. Cette ordure l'a démoli.

Nous attendîmes jusqu'à l'heure du dîner, sans parler, et sans rien faire.

Des pensées tournaient en rond dans ma tête, comme un vol de charognards. L'odeur du repas chaud qu'apportait un androïde me tira de mes méditations.

— Il faut aller le chercher, dit Carmel. Il n'aura pas faim, mais peu importe. Ce qu'il faut, c'est qu'il recommence à exister. Qui est le plus copain avec lui ?

— Nous le sommes tous, dit Valian, mais Roggio est plus proche par l'âge.

— J'y vais, dit le Chilien.

Il nous appela du palier, peu de temps après. Le ton de sa voix nous fit prendre l'escalier d'assaut.

Le traitement infligé par Délilaria avait détruit Perdy O'Connor.

J'imaginais très bien la sèche momie ne se contentant pas de châtier le coupable, mais exigeant de lui des preuves d'absolue soumission. La douleur partie, dans la solitude de sa chambre, Perdy avait dû affronter le souvenir d'une totale dégradation. Il n'avait pas pu l'accepter.

Un canif à lame affilée reposait sur la tablette de chevet.

Perdy s'était tranché le poignet gauche, avec assez de violence pour couper les tendons. Il gisait sur le lit, sa main pendante frôlant le tapis imprégné de sang. Les yeux grands ouverts, vitreux. Il était mort.

— Nous n'aurions pas dû le laisser seul, dit Carmel, accablé.

— C'était un gosse, dit Valian.

— Le responsable, dis-je, ce n'est aucun de nous...

Mes poings se crispaient de rage.

— Le premier à partir..., dit lentement Roggio.

— Nous finirons tous par nous tuer, dit

Carmel, les uns après les autres. Personne ne pourrait supporter ça. Personne !

Son visage de palissandre, sculpté par la colère et l'affliction, ressemblait à un masque africain maléfique.

— Délilaria sera fâché, dis-je. Il vient de perdre sottement une partie de son précieux capital.

— Qu'il crève ! dit Carmel.

— Qu'il crève ! dit Roggio.

— Qu'il crève ! dit Valian.

Je terminai les litanies par la même invocation convaincue.

J'allai presser le bouton qui permettait de convoquer Géronimo. Il entra et je dis :

— Le sous-humain Perdy O'Connor s'est tué.

Mon ton d'amère ironie importait peu. Il accueillit la nouvelle en ordinateur bien réglé.

— Je vais avertir M. Délilaria.

Je rencontrai mon maître, qui m'avait fait convoquer, le lendemain matin.

Rien n'avait changé dans la pièce vitrée de la terrasse. Même suffocante chaleur, même visage brun momifié, même regard froid, et même robe de laine immaculée. Les doigts desséchés tripotaient ma boîte.

Délilaria questionna :

— Pourquoi s'est-il tué ?

— Vous devez le savoir mieux que moi.

Son pouce caressa le curseur.

— Pas d'insolence ! Je t'ai posé une question. Pourquoi s'est-il tué ? A-t-il donné des raisons qui expliqueraient son acte ?

— Non.

— Non qui ?

— Non, Monsieur.

— Tu ne me détestes plus, tu me hais. Pourquoi ?

— Vous faut-il vraiment une réponse..., Monsieur ?

Il rit. Un coassement désagréable.

— Non. Ce n'est pas nécessaire. Tes sentiments ne comptent pas, tant que tu restes docile. Et tu le seras, n'est-ce pas ?

— Oui, Monsieur.

Il soupira. Ses lèvres minces se pincèrent.

— J'ai commis une erreur. Je suis trop âgé pour comprendre la psychologie d'un garçon de vingt ans. Mais il m'avait mis en colère. C'est un sentiment que je n'éprouve généralement plus. Je n'ai plus besoin de toi. Tu peux t'en aller.

Je sortis. Durant toute l'entrevue, j'avais lutté contre une envie dévorante de le tuer. Le savait-il ? Sûrement. Il n'était pas stupide.

CHAPITRE III

L'automne était venu lorsque Géronimo nous annonça que Délilaria nous avait mis en vente. Nous aurions à rester chaque jour dans le living, de 15 à 18 heures, pour nous tenir à la disposition des acheteurs éventuels.

Valian partit le premier, en compagnie d'une vieille dame qui se déplaçait en fauteuil roulant. Apparemment lassée des services impersonnels des androïdes, elle désirait un infirmier humain. Elle avait le teint frais, des joues rondes et des yeux gris limpides. Ses cheveux blancs s'échappaient en mèches floues de son chignon. Elle nous appela « mes pauvres garçons », blâma Mel Farquart de nous avoir réduits à cette triste condition, et promit à Valian qu'il n'aurait rien à craindre d'elle. Jamais, jamais, elle ne se servirait de cette vilaine boîte. Je ne doutai pas un instant de ses paroles. Elle me parut douce, gentille et gaie. Ce sacré rouquin avait bien raison de croire en sa chance. Il serait certainement dorloté et chouchouté. Tant mieux pour lui.

L'homme qui nous visita le lendemain présentait une quarantaine apparente, mais devait être, en réalité, passablement plus âgé. Il était vêtu avec une coûteuse recherche, la teinte de sa chemise ouverte sur un cou bronzé exactement adaptée au bleu de ses yeux, le pantalon d'un bleu à peine plus soutenu. Un blouson de soie bleu marine s'accrochait à une épaule, avec une négligence étudiée. Un coiffeur habile avait disposé en boucles folles de petit garçon sa chevelure blonde et éclairci une mèche qui retombait sur son front.

Il était juste un peu trop beau, juste un peu trop suave, et ses yeux clairs nous étudiaient avec juste un peu trop de calcul.

Il nous fit déshabiller, et nous palpa. Le contact de ses mains insistantes, humides de sueur, me donna envie de vomir. Je lui plaisais et il s'attarda sur moi. J'avais l'échine hérissée.

Ma chance, ce fut mes cheveux blonds, et mes yeux gris, qui m'apparentaient à lui. Attiré par la loi des contrastes, il choisit Roggio, après une longue hésitation, et j'en ressentis, égoïstement, un soulagement total.

Le Chilien suivit son nouveau maître. Il n'avait que trop compris ce qui l'attendait. En lui disant adieu, j'évitai de regarder son visage durci.

Lorsqu'ils eurent disparu, Carmel dit à mi-voix, se parlant à lui-même :

— Roggio se tuera aussi...

— Ce n'est pas ma faute, dis-je.

Et je m'excusai.

— Non, Garral, ce n'est pas ta faute, ni celle

de Roggio, ni même celle de ce type qui cherchait de la chair fraîche... Dieu damne Mel Farquart !

Je me tus. Après un temps de silence, Carmel ajouta :

— Ne te fais pas de reproches. Que tu te sentes soulagé, c'est bien normal. Il n'aimait pas les nègres, il ne m'a pas regardé deux fois, et je remerciai le ciel d'avoir la peau noire... Peut-être que Roggio s'en tirera...

Il ne le croyait pas et moi non plus.

— Ecoute, Garral. Ce soir, Délilaria peut aller au diable ! Punition ou pas, il me faut de l'alcool. Crois-tu que la porte-fenêtre de cette pièce où se trouvait le bar pourrait être ouverte ?

— Possible ; la journée a été belle et chaude. On tente le coup ?

— J'y vais.

— Non. On tire au sort.

— D'accord. Prend un dé. Le chiffre faible perd.

Je tirai un six et il fit un trois. Il passa par le jardin et revint peu de temps après, une bouteille de gir dissimulée sous son blouson. Elle était presque pleine.

— Voilà de quoi nous rendre un peu de bonne humeur, dit-il. Et j'ai pris de l'avance en vidant le caliane. J'ai aussi chipé une bonne poignée de cigarettes.

— Il est presque 18 heures. Nous sommes libres. Mieux vaut monter dans ma chambre. Géronimo se déplace sans plus de bruit qu'un serpent, et il est toujours en train de rôder...

Assis côte à côte sur mon lit, nous partageâmes la bouteille, en grillant les cigarettes. L'alcool nous chauffa et nous rendit plus optimistes. Nous descendîmes dîner vers 20 heures, non par faim mais pour éviter les histoires. Puis nous remontâmes pour achever le gir restant. Je m'endormis en travers du lit et Carmel sur le tapis.

Il se passa une semaine. Nous eûmes cinq ou six visiteurs, qui nous examinèrent et repartirent sans nous. Des curieux, à mon avis, sans intention réelle d'acheter.

Puis vint une femme. Pas jeune et pas belle en dépit d'un adroit maquillage correcteur. Soignée, élégante, avec une voix précieuse et aiguë. Ses cheveux d'un or verdissant ne devaient rien à la nature. Mince, et se déplaçant avec un art étudié. Couverte de bijoux, et la pierre de Sigma qui ornait son annulaire droit valait une fortune. Le maquillage, un peu trop épais, se craquelait aux plis des lèvres. Il s'efforçait de rendre plus étroit un visage lunaire, et d'allonger des yeux ronds de chouette, d'un brun brillant.

Elle nous examina, et fit le genre de commentaires qu'elle aurait exprimé dans un chenil, en choisissant un chien de race.

Elle se décida pour moi, après des hésitations interminables, des changements d'avis, et des décisions aussitôt annulées.

Je dis adieu à Carmel, qui me souhaita bonne chance, en ajoutant à voix basse :

— Survis, Garral.

Mon élégante maîtresse s'impatientait et je la suivis.

Géronimo nous guida jusqu'à Délilaria, qui attendait dans la pièce où nous étions entrés le premier jour. Ma maîtresse bavarda, sur ce ton aisé de la conversation mondaine, en sirotant du caliane. « Que devient Robbi ? Sais-tu que Dénisa est partie pour Thermade ? J'ai vu Jaulna, la semaine dernière, et elle m'a dit que... »

Cela dura, interminablement. Je n'existais pas plus que les meubles. La belle dame se prénommait Marri. J'essayais de l'évaluer. Une mondaine à cent pour cent, mais que trouvait-on, sous la carapace ?

Ils passèrent aux choses plus sérieuses, avec la même aisance polie, et ma nouvelle maîtresse tenta de marchander.

— Vraiment, Serev, tu exagères ! 20 000 DP ! C'est de la folie ! Jaulna en a acheté un aussi beau que celui-là pour moitié prix.

— Elle s'y est peut-être pris plus tôt, Marri, dit Délilaria d'un ton suave. Si tu n'en veux pas, laisse-le. Les amateurs ne manquent pas.

— Allons, fais un effort ! Une vieille amie comme moi...

— Je ne peux pas baisser mon prix. J'ai eu des frais. Mais tu n'es pas obligée d'accepter...

— Oh ! mais je le veux ! C'est tellement sulch ! Un robot humain ! Mel a eu une si bonne idée... Je vais te faire un chèque.

Elle le remplit, le vérifia, et le détacha à regret. Je n'imaginais pas valoir aussi cher. Délilaria fit surgir d'un tiroir ma boîte et un dossier-cassette. Elle les fourra dans un sac géant, visiblement très satisfaite.

— Ma chère Marri, il faudra que tu prennes le temps d'écouter cette cassette. Elle t'apprendra ce que tu peux faire, et ce qu'il vaut mieux éviter.

— Je l'écouterai. Je ne sais pas comment tu as fait, vraiment, pour en avoir encore à vendre, alors qu'on n'en trouve plus un seul sur le marché...

— Peut-être suis-je prévoyant, Marri... J'espère que tu seras satisfaite de ton acquisition.

Délilaria nous accompagna jusqu'à l'aire d'atterrissage. Ils se quittèrent en s'embrassant avec l'affection de commande voulue.

Je ne les aimais pas plus l'un que l'autre.

Ma patronne me demanda si je savais piloter une navette, et, sur ma réponse affirmative, me laissa les commandes. Elle s'installa à côté de moi. Elle me donna les coordonnées de vol, boucla ses sangles, et alluma une cigarette au parfum sucré. La navette était un modèle de luxe, ultra-récent, ultra-rapide, et je pris plaisir à la manier.

Marri s'agita, fouilla son sac, en tira la cassette, et la glissa dans les mâchoires du transmetteur. Une voix monocorde débita mon curriculum vitae, avant de donner des renseignements précis sur l'action du vadium dans un système nerveux. Elle précisa qu'une utilisation trop prolongée de la boîte amènerait infailliblement le décès de l'androïde. J'écoutai le moins possible. Je savais déjà tout ça par cœur, et j'étais un peu trop concerné.

40

Ma propriétaire appréciait, les yeux mi-clos, en tirant sur sa cigarette sucrée.

Le domaine où nous aboutîmes, après une heure de vol, se situait au bord de la mer. Il était nettement plus grand que celui de Délilaria, et plus luxueux. Je n'avais jamais vu autant d'androïdes concentrés dans un seul endroit. Marri me remit aux bons soins de l'un d'eux et disparut.

Elle me convoqua en début de soirée, dans son boudoir. Capitonné du même bleu mauve que le ciel de Talsie. Un décorateur s'en était donné à cœur joie là-dedans, amoncelant les soieries, les miroirs et les lumières voilées. Atmosphère toute de suavité parfumée.

Marri tenait ma boîte. Je sus, avec certitude, ce qui allait suivre, et je commençai à la haïr. Son pouce déplaça le curseur, lentement, presque timidement, puis le poussa en bout de course. Elle n'était pas vraiment mauvaise, je pense, seulement égocentrique au dernier degré. Elle jouait, comme un enfant pervers. Cette maudite boîte exerçait un attrait irrésistible.

Ça dura moins longtemps qu'avec Délilaria. Marri me regardait, légèrement contrite.

— Je regrette, Garral, je ne savais pas.

Elle savait très bien, et ne regrettait pas tellement. Elle avait voulu voir, par pure curiosité. Mais les signes évidents de douleur l'avaient gênée. Un petit peu. Jusqu'à ce qu'elle ait oublié son malaise, elle ne recommencerait plus. Mais elle serait plus dangereuse que Délilaria. Lui n'aurait utilisé la boîte qu'en cas de nécessité. Elle l'emploierait par caprice, sans raison logique.

Je me demandai si je tiendrais très longtemps.

Je dînai, sans grand appétit, puis montai jusqu'à la chambre qui m'avait été allouée. J'y trouvai un petit réfrigérateur et un bar bien fourni. Je remplis à ras bords un verre de gir, et le bus, très vite. J'en vidai un deuxième, plus lentement. Je me déshabillai et m'allongeai sur le lit. Très confortable. Je continuai à boire.

Lorsque Marri entra, j'étais à peu près ivre, et je n'avais pas la boisson gaie. Elle était nue, sous un peignoir ouvert, tout en voiles vaporeux. Pas trop mal foutue. Peu de seins, et les jambes courtes.

Je lui donnai ce qu'elle voulait. Brutalement. J'épuisai sur elle mon ivresse et ma colère. Elle n'en fut pas mécontente. Elle aimait ça.

CHAPITRE IV

Je n'étais pas réellement malheureux, et pas heureux non plus. Je me foutais de tout.

Marri Saurgal me promenait comme un chien de salon. Je l'accompagnais chez son coiffeur, dans les magasins, au spectacle, chez ses amis. Je lui servais de chauffeur, de garçon de courses, de porteur, et de machine d'amour lorsqu'elle en éprouvait le désir. Elle m'exhibait, et des femelles excitées passaient leurs doigts sur le A de mon front. Je n'éprouvais même plus assez de sentiments pour les haïr.

Marri vivait dans ce genre de tourbillon qui entraîne les papillons mondains. Toujours en mouvement, toujours agitée, et j'étais tiré dans son sillage. Elle n'avait plus utilisé la boîte, mais m'en menaçait, parfois, comme on promet une fessée à un enfant en lui enjoignant d'être sage.

Elle était fière de moi, comme elle l'aurait été d'une bête de race. Fière de mon corps, de mes muscles et de ma virilité. A l'occasion, devant un cercle d'amies, elle me faisait déshabiller. Je participais très souvent à des jeux sexuels en commun, plus ou moins pervers.

Sans écœurement. Ça ou autre chose... Garral Saltienne, anciennement pilote, nouvelle profession : gigolo à temps complet. Pourquoi pas ? Je n'avais pas le choix.

Je l'appelais Madame et je la vouvoyais. Au lit, nos relations maître à esclave se modifiaient. Elle appréciait une certaine dose de brutalité contrôlée. Pas trop. J'avais très bien appris jusqu'où, exactement, je pouvais aller. Mais, à l'occasion, en pressant mes pouces sur son cou, j'y prenais un peu trop de plaisir. Je l'aurais étranglée avec joie.

Elle ne s'en rendait absolument pas compte. Elle n'était pas tout à fait idiote, mais vaniteuse, superficielle, occupée à cultiver son petit moi chéri. Elle s'aimait et n'aimait rien d'autre. Elle n'imaginait pas une seconde qu'on pût ne pas l'apprécier autant qu'elle s'appréciait elle-même.

Ses amis lui ressemblaient. Femmes sophistiquées, gâtées et capricieuses, protégées de tout par les barrières de la fortune, et hommes imbus d'eux-mêmes, gonflés comme des dindons.

Deux ou trois fois, j'avais rencontré des compagnons de misère, marqués du A sur le front. Comme tous les esclaves, j'imagine, nous avions échangé des appréciations sur nos propriétaires respectifs. Dans l'ensemble, je n'étais pas trop mal loti. Il y avait pire...

Soirée du jour de l'an. Marri recevait. Il était 4 heures du matin. La bruyante musique avait été réduite à un fond sonore supportable. La majeure partie des invités s'était retirée, et il ne restait là que les enragés de la nuit blanche.

J'avais distribué, en androïde stylé, les cadeaux offerts par Marri à ses hôtes. Surprise, il y en avait eu un pour moi. Très symbolique. Un large collier d'or. Je le mis. J'avais bu un peu, avec discrétion.

Marri était ivre et embrumée par une consommation excessive de noix de kelm. Les fruits avaient cyanosé sa peau et teint ses lèvres de bleu de prusse. Sa coiffure élaborée commençait à se défaire, et elle n'allait pas tarder à perdre son diadème. Son maquillage se craquelait fâcheusement.

Une dizaine d'invités l'entouraient. Les derniers. Ceux qui ne quitteraient les lieux qu'à l'aube, après le petit déjeuner. Ils bavardaient, avec des éclats de voix et des rires aboyés. Je ne les écoutais pas. Je m'ennuyais et j'avais envie d'aller me coucher. Pas question pour moi de le faire avant que Marri ne m'en donne le signal. Bon gré, mal gré, je devais patienter.

Un grand gaillard brun qui portait un rubis incrusté dans la narine droite versait du gir dans la bouche bleuie d'une fille aux cheveux verts. Je la connaissais, et je ne l'aimais pas. Elle me regardait, d'ordinaire, comme un chat qui guette une proie. Trois ou quatre fois, elle avait essayé de m'emprunter à Marri. Sans résultat. Ma chère patronne était heureusement beaucoup trop possessive pour prêter son joujou.

Quatre heures vingt. Ils jacassaient toujours. J'étais assis à l'écart, solitaire, et aussi gai qu'un croque-mort. Une phrase accrocha mon oreille, y enfonçant des barbelures, et je me raidis commme un chien à l'arrêt.

Marri secoua négativement la tête, mollement. A présent réveillés, excités, ils l'assiégeaient de supplications : « Oh! si, Marri! Juste une fois! » « Va la chercher, chérie, je te promets qu'on ne l'abîmera pas. » « Juste un petit peu, pour voir... » « Sois gentille, mon chou, tu peux bien faire ça pour nous! » « Va la chercher, Marri, c'est tellement sulch! »

Je savais déjà qu'elle céderait, et la peur me rongeait le ventre.

Elle se leva, chancelante, et Cheveux verts lui prêta l'appui de son bras. Elles quittèrent la pièce. Les autres me regardaient, avidement. Ils supputaient le futur spectacle dont j'allais être la vedette. Je les haïssais. Je ne pouvais pas empêcher la sueur de tacher ma chemise, mais je pouvais mater la peur, suffisamment pour qu'elle ne devienne pas trop visible.

Marri revint, toujours accrochée au bras de l'amie secourable, qui la déposa comme un paquet dans un fauteuil. Cheveux verts tenait ma boîte, bien serrée, et ses doigts blanchissaient aux jointures. Elle s'assit. Cette fois, le chat tenait la proie. Elle dit avec douceur :

— Viens ici, Garral.

Je me levai. J'avais les jambes en sac de son. Je me vis, dans le miroir géant qui couvrait tout un mur. J'étais blanc, et le A écarlate ressortait nettement sur mon front. Les yeux gris de mon reflet me regardaient. Des yeux d'animal traqué.

Cheveux verts dégagea sa jambe d'un flot de jupons émeraude. Les ongles de son pied nu étaient de petits miroirs irisés. Elle aussi, était blême. Ses yeux étroits, mouchetés de taches dorées, luisaient. Elle suça ses lèvres minces, et ordonna :

— Lèche mon pied !

Ils attendaient, vibrants d'excitation. Je savais que si je me pliais à cette première exigence, il en viendrait une autre, puis une autre encore. Pas à pas, ils me feraient descendre les marches de l'abjection, et je savais aussi que, le réveil venu, je ne pourrais pas me le pardonner. Il ne me resterait d'autre solution que celle qu'avait choisie Perdy, après une séance analogue.

Qu'ils crèvent ! Ils n'auraient pas ma peau comme ça !

Je répondis non.

Cheveux verts était satisfaite. Elle espérait cette réaction. En acquiesçant, je l'aurais déçue. Elle voulait utiliser la boîte, avec une dévorante intensité.

Son pouce déplaça le curseur, et l'enfer me saisit.

Ça durait depuis... un millénaire ? Deux ? Ils étaient en train de me tuer. Une part de mon esprit, relativement lucide, le savait, et l'acceptait, ne désirant plus que cette délivrance.

Je criais, et ces rauquements d'animal dont j'avais à peine conscience me sauvèrent. A la longue, ils tirèrent Marri des brumes de l'ivresse et de la drogue. Elle réalisa que ses chers amis étaient en train de détruire son coûteux jouet et elle reprit la boîte.

Hormis d'émerger d'un océan de rouge souffrance, je n'avais conscience de rien. Je restais couché là où j'étais. J'avais vomi, j'avais mordu et mâché les longs poils du tapis blanc, je m'étais entaillé la langue, et j'avalais encore du sang. Son goût de fer salé emplissait ma bouche.

Ils étaient partis, je pense. Marri essayait de me faire lever. Elle me versait de l'alcool dans le gosier, elle me secouait, elle me poussait. En pure perte. Un flot de phrases précipitées ne me parvenaient que comme un ronron assourdi.

Des mains sèches d'androïde me transportèrent jusqu'à mon lit. Je m'enfonçai dans un puits sombre et doux d'inconscience.

Je m'éveillai. La chambre était noire. Des souvenirs revenaient, amers et taraudants.

La haine qui m'habitait acheva de se cimenter. Elle devint bloc solide, sans fissures.

CHAPITRE V

Marri essayait de me séduire par une gentillesse excessive. Elle voulait qu'on l'aime, et craignait que j'aie cessé de l'aimer. Elle minaudait et me couvrait de cadeaux. Ça ne me faisait ni chaud ni froid. Je calculais.

Si je voulais survivre, il me fallait fuir, ou la tuer. Impossible de lui faire confiance. L'histoire du jour de l'an pouvait se renouveler n'importe quand, et je n'aurais peut-être plus autant de chance. Ou bien elle se lasserait de son jouet, et le détruirait elle-même.

Fuite ou meurtre posait des problèmes. La tuer m'aurait fait grand plaisir, mais, même en lui mitonnant un bel accident sur mesure, je doutais de pouvoir m'en tirer. Un peu trop d'ATOF avaient choisi cette solution pour se débarrasser d'un maître impossible, sans parler des assassinats suivis de suicides. Le décès de Marri amènerait des questions. Très insistantes. Avec utilisation prolongée de la boîte.

Et même si je m'en sortais... Ensuite? Un nouveau maître, peut-être pire que le précédent.

Non. Ce qu'il me fallait, c'était un navire spatial. Les ondes d'Aslim trouveraient le vadium dans mes nerfs partout, mais pas au-delà de l'espace. J'étais pilote. Si je réussissais à me procurer un vaisseau, je pourrais tenter de trouver refuge sur Dernière Chance. J'étais tout à fait mûr pour accepter de jouer ma vie dans leurs examens d'admission.

Malheureusement, un navire spatial ne se vole pas. Outre qu'on n'entre pas dans un cosmoport comme dans un moulin, qui ne possède pas la clef réglée sur la serrure magnétique du vaisseau n'y entre pas, voilà tout. Où trouver cette clef?

Je ne pouvais qu'espérer, et attendre une occasion. Survis, Garral.

J'avais repris ma vie de chien de luxe. L'hiver tirait à sa fin. En apparence, Marri était ma maîtresse bien-aimée, et moi son androïde affectionné. Mais je la haïssais. O combien! Lorsqu'elle m'utilisait comme bête à plaisir, ça se passait très en douceur. Je ne pouvais plus me permettre de me laisser aller. Je l'aurais tuée.

Marri fut invitée par des amis qui habitaient Thermade, un monde voisin. Pour une fois, elle ne m'emmenait pas dans ses bagages. Elle ne m'en donna pas la raison, et je ne la demandai pas. J'étais bien trop content. Un mois sans l'avoir sur le dos! Trop beau pour être vrai.

— Je te laisse 1 000 DP pour les dépenses

courantes de la maison, Garral, mais tu tiendras les comptes.

Mais comment donc ! Les comptes à un sou près. La belle dame dépensait volontiers, elle était assez riche pour ça, mais elle savait très bien additionner deux et deux. Les nantis le savent toujours.

— Je préfère que tu ne sortes pas de la propriété, Garral. Je ne tiens pas à avoir des ennuis. On pourrait m'accuser de mal te surveiller.

Pas d'ennuis, ma belle, aucun ennui. Le sous-humain sera sage comme une image. Sauf s'il trouve une bonne occasion de filer ! Malheureusement, je n'y croyais pas. Où trouver ce navire, bon Dieu ? Où ?

J'amenai Marri au cosmoport de Farewell deux jours plus tard.

Je posai la navette sur l'aire d'atterrissage, à proximité de la monumentale porte d'entrée. Des soldats MA la gardaient, vérifiant les papiers des voyageurs. Les androïdes porteurs s'affairaient, poussant leurs chariots à bagages.

En les voyant circuler, et suivre leurs clients, il me vint une idée sur la façon de pénétrer dans l'enceinte du cosmoport, si je trouvais quelque jour le navire nécessaire.

Marri avait appelé un androïde et il chargeait sa montagne de bagages sur la plate-forme.

— Rentre tout de suite à la maison, Garral, et restes-y ! Je ne veux pas que tu en sortes sauf pour venir me chercher quand je rentrerai. C'est bien entendu ?

J'acquiesçai très docilement. Cause toujours, ma garce !

Elle partit vers la porte, présenta ses papiers et disparut. L'androïde porteur la suivit, poussant son chariot.

Je mis un pied sur la marche pour remonter dans la navette, et une voix cria :

— Garral !

Je me retournai. Quelqu'un venait vers moi, à grands pas. Je reconnus un visage de palissandre, masque africain, sculpté par la joie.

— Carmel !

— Garral ! Oh ! bon Dieu ! que ça me fait du bien de te voir !

Nous échangeâmes des bourrades.

— Je ne peux pas m'attarder, dit-il. Mon vieux chameau va revenir d'un instant à l'autre. Garral, serais-tu assez libre pour te déplacer et disposer d'une navette ?

— En ce moment, oui.

— Alors vient cette nuit, vers 1 heure, sur l'aire d'atterrissage du lac d'Augrèse. Tu connais ?

— Non, mais je verrai une carte. J'y serai.

— Dieu merci ! Je... Merde ! mon vieux !

Il fila, s'enfonçant à pas pressés dans la foule. Je le vis grimper dans une navette et s'installer aux commandes. Un vieillard sec arriva. Grand front blanc et petits yeux de rats enfouis dans les arcades sourcilières. Il monta dans la navette, après y avoir fait charger une caisse. Elle décolla.

J'en fis autant et je rentrai.

Je posai la navette au bord du lac, vers 0 h 45. La nuit était froide et claire. Les deux lunes de Talsie se reflétaient dans l'eau noire, en paillettes dorées. Tout était paisible, silencieux et désert. Je sortis pour faire quelques pas. J'allumai une cigarette et remontai le col de ma veste. Le vent soufflait en rafales glacées. J'attendis, en fumant à la chaîne. J'étais gelé.

Une silhouette se matérialisa peu après 1 heure. Carmel était très peu vêtu et il grelottait.

Je le fis monter dans la navette, branchai le chauffage et lui offris un flacon de gir tiré du bar miniature. Il réclama une cigarette et aspira un moment la fumée à bouffées profondes, en silence. Puis il rejeta la tête en arrière.

— Garral, je suis au bout du rouleau. Je n'ai pas été exactement verni. Celui qui m'a acheté, c'est un vieux type richissime atteint de mégalomanie. Ce qu'il veut, avec une dévorante passion, c'est vivre toujours. Il s'intéresse à la chimie, en amateur, mais ses connaissances en la matière ne vont pas bien loin. Je suis chimiste. Il compte sur moi pour mettre au point un composé antisénescence ultra-perfectionné. La drogue d'immortalité, tu vois. Et il utilise la boîte pour, je cite : « stimuler mon imagination ». Très souvent. Je n'en peux plus. J'en suis à envisager le suicide. De t'avoir rencontré, c'est une sorte de miracle. Tu es pilote et il possède un vaisseau spatial. Crois-tu que nous pourrions tenter de fuir ?

— Et comment ! Et c'est un miracle pour moi aussi. Tout ce qu'il me fallait, c'était un navire, et tu me l'apportes sur un plateau. J'ai un plan, pour entrer dans le cosmoport.

Je lui fis part de l'idée qui m'était venue. Il rit.

— Bon Dieu ! C'est trop beau, je n'ose pas encore y croire. Où irons-nous ? La Ligue d'Ansée ne nous accueillera pas, ni l'Union des Planètes Libres. Si nous atterrissons chez eux, ils nous boucleront, avant de nous rendre gentiment aux MA.

— Dernière Chance, dis-je.

— Evidemment. C'est la seule possibilité. D'accord. Je jouerais bien plus que ma peau pour avoir ma liberté !

— Tu pourras piquer sa clef ?

— Il faudra que je le tue, mais ça j'en rêve depuis des mois. On se tire quand ?

— Le plus tôt possible, mais il y a des préliminaires. Rendez-vous ici, la nuit prochaine, à la même heure. Nous verrons les derniers détails. Tu pourras venir ?

— La nuit, mon vieux chameau dort sous un casque de sommeil. C'est le seul moment où il me fout la paix. Passe-moi encore un peu de ce gir, tu veux, et une cigarette.

En buvant et fumant, nous parlâmes. Très longtemps. Je me racontai, et il se raconta. Sans restriction. Le vadium, nous connaissions aussi bien l'un que l'autre. Pour cette raison, nous étions très proches, et nous pouvions tout dire et tout entendre.

Le lendemain matin, j'appelai le cosmoport pour me renseigner sur les horaires. Le trafic nocturne, un peu ralenti, reprenait vers 5 heures.

Je pris la navette pour me rendre à Farewell.

Je passai une partie de la matinée à faire des achats. Du plastoderme, des couleurs pour le teinter et des récipients étanches. Des perruques, des verres de contact, une trousse de maquillage, et d'autres bricoles.

La chère Marri ne trouverait pas ses comptes en ordre, entre autres sujets de mécontentement.

Comme toujours, en faisant mes courses, j'avalai une bonne dose de couleuvres. Dans la plupart des cas, on me servait, en marquant bien la nuance par égard pour mon maître, dont j'exécutais évidemment les ordres, et non pour satisfaire le sale rebelle terrien que j'étais. Mais j'avais l'habitude et je restai très poli. J'avais appris depuis longtemps à mater la colère.

Vers midi, j'allai déjeuner dans un restaurant proche du cosmoport, fréquenté par les mécaniciens. Je mangeai en surveillant la salle. Je repérai bientôt un petit homme solitaire, qui n'avait pas l'expression de mépris habituel en me regardant. Je réglai ma note et attendis son départ.

Je le suivis et l'abordai dans la rue.

— Vous ne pourriez pas me rendre un service ?

— Quel genre de service ?

Il était relativement aimable, mais méfiant.

— Mon maître m'a ordonné de lui trouver deux tenues d'androïde porteur. Il les veut pour un bal masqué. Si je ne les ramène pas, il piquera une belle colère. Il m'a donné de l'argent et je peux payer. Vous ne pourriez pas me les procurer ?

J'avais réussi à donner l'impression voulue. Mon patron me faisait peur. Très peur. Mon petit mécanicien perdait de sa méfiance.

— Il est mauvais, ton bonhomme ?

J'avalai ma salive et baissai les paupières.

— Bon. Je peux t'arranger ça. Deux trucs de la Générale Planétaire. Ça te va ?

— Très bien. Vous me tirez une belle épine du pied.

— T'as pas besoin de me dire vous, bonhomme. Moi, j'suis pas de ceux qui trouvent très bien la saloperie qu'on vous a fait. Farquart, c'est une belle ordure, je te dis ça entre nous. Un de ces jours, va bien falloir qu'on se décide à le virer.

— En ce qui me concerne, dis-je, j'espère qu'il en bavera pendant mille ans avant de crever !

Je ne jouais plus du tout la comédie.

— Bon, dit le petit bonhomme. Tu peux revenir ce soir, disons vers 18 heures, dans ce bistrot où on bouffait tout à l'heure ?

— Sûr. Mon patron m'a donné 100 DP pour ces tenues. Je te les remettrai.

— Jamais de la vie ! Garde-les pour toi. Tu lui dis que tu les as payées 100, mais tu les gardes. J'pourrais pas te les prendre, mon gars, ça me ferait comme de voler un aveugle.

Un petit type rudement bien. Il me réconciliait avec l'humanité.

— Je te remercie, dis-je, je te remercie bien sincèrement.

— Bah ! Qu'est-ce que ça m'coute. Ces tenues, je vais les piquer à la Compagnie, ni plus ni moins. Un p'tit môme f'rait ça les yeux fermés. Faut que j'file, mon pote, c'est l'heure. A c'soir !

Je me rendis à l'entrée du cosmoport. Les androïdes porteurs allaient et venaient, s'occupant des bagages. Tous grands, tous ayant de raides cheveux bruns et des yeux marron, tous coulés dans le même moule. Seules les différenciait la couleur de leur combinaison, marquée du sigle des compagnies de transport.

J'attendis un moment l'occasion de prendre de bonnes photos. Je les sortis de l'appareil, et les examinai. Bien nettes. Ça irait.

Je tuai l'après-midi en musardant dans la ville, puis j'allai à mon rendez-vous, un peu en avance.

Le petit mécanicien arriva à 18 h 12. Il extirpa d'une musette un paquet ficelé et me fit un clin d'œil.

Nous bavardâmes un moment, en buvant de la bière, puis il me dit qu'il devait filer, sinon sa bobonne s'inquiéterait. Il insista pour régler entièrement l'addition. Dehors, il me serra la main et chuchota :

— Dis donc, mon pote, au cas, je dis bien au

cas, où ces trucs seraient pour toi et pas pour ton patron, moi, je sais rien de rien, je t'ai même jamais vu, et j'te dis merde !

Il sourit jusqu'aux oreilles, tourna les talons et partit sans attendre une réponse.

J'attendais dans la navette, peu avant 1 heure, chauffage branché. Les désembueurs marchaient à plein. Le lac était un vaste trou empli de goudron. Une brume diffuse en masquait les contours.

Je ne découvris Carmel que lorsqu'il toucha la portière. Il se laissa choir sur le siège. Il avait des yeux fibrillés de sang, et les traits tirés. A mon avis, ce n'était pas uniquement le froid qui avait donné à sa peau cette teinte malsaine. Je n'avais pas besoin de le regarder plus longtemps pour comprendre. Je demandai, d'un ton volontairement neutre :

— Stimulation ?

Il acquiesça de la tête, avec lassitude.

— Cet après-midi. Il trouve que je ne travaille pas assez vite. J'ai eu droit à une bonne séance. Garral, j'en ai marre...

— Terminé. Tu vas pouvoir te l'offrir. Tout est prêt.

Il se redressa, et un rictus découvrit ses dents.

— On se tire la nuit prochaine, dis-je. Voyons les derniers détails. Premier point, ta boîte. Elle est accessible ?

— Il la garde dans son coffre.

— Parfait. Qu'elle y reste. La mienne restera dans le coffre de Marri. Avant qu'ils puissent mettre la main dessus, nous serons hors de portée, ou foutus de toute façon. Deuxième point. Ton vieux. Tu pourras l'avoir sans difficulté ?

— Aucune.

— Sûr ? Tu ne veux pas un coup de main ?

— Non.

Je n'insistai pas. Il tenait à faire ce travail-là lui-même, et je comprenais très bien.

— Je t'attendrai chez Marri. Viens dès que tu pourras. Si quelque chose clochait, nous remettrions à la nuit suivante.

J'inscrivis sur un papier les coordonnées de la propriété de Marri, et son numéro d'appel. Carmel l'empocha.

CHAPITRE VI

Carmel arriva vers 2 heures. Apparemment détendu et de très bonne humeur.

— Tout s'est bien passé ?

Un large sourire fit briller ses dents.

— Je l'ai eu facile. J'ai tordu son sale cou de poulet jusqu'à ce que les vertèbres craquent. Tu ne peux pas t'imaginer le plaisir que j'y ai pris. J'en jouissais presque.

Je m'imaginais très bien. Il existait pas mal de gens que j'aurais aimé m'offrir de la même façon. Délilaria, Marri, Cheveux verts... Je me secouai. Pas le moment de rêver. Nous avions du boulot à faire, et pas qu'un peu.

Il s'agissait de nous transformer, l'un et l'autre, en parfait androïde porteurs.

Ça nous prit un temps fou. Couches de plastoderme, A sur le front et sigle au poignet tracés à l'aide de caches, perruques, faux sourcils, verres de contact.

Ce fut plus dur pour Carmel que pour moi. Pas aisé de faire d'un homme noir un androïde blanc. Je dus modifier légèrement la forme de son visage, teindre au pinceau le bord intérieur de ses paupières, et passer ses ongles au verni.

En nous guidant sur les photos que j'avais prises, nous arrivâmes à un résultat tout à fait appréciable. Les combinaisons enfilées, nous ressemblions réellement à une paire d'androïdes. De toute façon, personne ne prend jamais la peine de les regarder sous le nez. Ils sont trop familiers.

Tout notre plan d'évasion reposait sur ça.

Ce que nous voulions emporter avec nous — des statuettes de valeur que j'avais volées à Marri, et d'autres bricoles — était fixé à la face interne de nos cuisses. Une accumulation de sous-vêtements chauds nous épaississait un peu. Nous allions devoir affronter une température assez basse, quatre ou cinq degrés au plus, et pas question de frissonner ou de claquer des dents. Un androïde ne ressent pas le froid. Le pire, ce serait certainemlent nos pieds nus. Ils avaient beau être revêtus d'une bonne couche de plastoderme, je doutais qu'elle nous protège beaucoup. Malheureusement, un robot n'a pas coutume de porter des chaussures.

Nous quittâmes la maison vers 4 heures. L'humidité de la nuit nous saisit.

— Ça ne va pas être une partie de plaisir, dit Carmel. Il fait un froid de loup. Je me demande comment je vais m'y prendre pour éviter de claquer des dents.

— Serre-les, dis-je. Ton masque de plastoderme est assez épais pour très bien dissimuler les contractions musculaires.

— Mais comment donc ! Et si j'ai la bloblotte, je m'y prends comment ?

— Tu ne l'as pas. Un point, c'est tout.

— Tu n'es pas nerveux, toi ? Moi si, je fourmille.

— Je suis nerveux. Aussi nerveux qu'un chat sur une plaque brûlante. Mais j'espère que ça ne se voit pas.

— Ça ne risque pas de se voir. Comme tu l'as dit, le plastoderme, ça couvre tout. Mais il va falloir aussi oublier de penser, pour garder des yeux en morceaux de verre inexpressifs. Tu crois vraiment qu'on va s'en sortir, Garral ?

— Oui. Et arrange-toi pour le croire aussi.

Je posai la navette sur l'aire d'atterrissage du cosmoport. Un peu à l'écart, à côté d'un massif d'arbustes. Il y avait déjà pas mal de trafic. Les navettes atterrissaient ou décollaient, et les androïdes s'affairaient.

Je descendis du côté des buissons. Carmel chuchota :

— Merde, Garral.

Je lui retournai le même souhait de bonne chance. Momentanément, nos destins se séparaient, et nous allions passer l'un après l'autre. Si j'étais pris, il était foutu de toute façon, mais s'il se faisait prendre, je partirais sans lui.

En marchant à pas lents et réguliers, je m'approchai de l'entrée, pour prendre un chariot à bagages. Personne ne s'occupait de moi.

J'attendis. Le froid m'enveloppait dans une chape de glace, insensibilisant mes mains et mes pieds. Je m'appliquai à rester rigide, sans plus de réaction que la mécanique que j'étais devenu.

Une navette se posa tout près, la portière s'ouvrit, et des doigts impératifs claquèrent à mon intention. Un jeune homme, qui ne prononça pas une parole, se contentant d'ouvrir le compartiment à bagages. Il ne me regardait pas du tout.

Je chargeai les valises sur le chariot. En un sens, le froid m'aidait. En me paralysant presque, il m'obligeait à des mouvements lents, sans aucune souplesse. Le jeune homme fila vers l'entrée, à grandes enjambées et je le suivis.

Les gardes épluchèrent ses papiers. Il passa. J'étais derrière lui, et pas un soldat ne me jeta le moindre regard.

Un androïde, ça n'a pas d'existence. Ni de pièce d'identité, bien sûr.

Ils n'avaient aucune raison de s'occuper de moi. Et ils ne le firent pas.

A présent, je traversais les bâtiments, et j'en appréciais la chaleur. Je suivais toujours, bien régulièrement, le jeune passager. Il ralentit une fois ou deux, pour me permettre de le rattraper. On ne s'attend pas à ce qu'un androïde se hâte, et il ne s'impatientait pas.

Je passai derrière lui un deuxième contrôle, puis la douane qui marqua les valises sans les visiter. Les choses marchaient si bien que je devenais très optimiste.

Nous sortîmes sur la gigantesque aire d'envol. J'accompagnai le jeune homme jusqu'à l'*Argonaute*.

Je déchargeai les bagages sur le tapis roulant. Lui monta par l'escalier réservés aux passagers. J'étais libre.

Je poussai calmement mon chariot vide vers la partie du terrain résrvée aux particuliers. Je croisai des pilotes, des mécaniciens, et j'étais toujours totalement invisible.

Je trouvai sans peine le petit vaisseau dont Carmel m'avait donné les coordonnées. Chaque emplacement était numéroté.

J'enfonçai la clef dans son encoche magnétique, et actionai la commande d'ouverture. Le sas s'ouvrit obligeamment, et l'escalier se déplia. J'entrai.

Lorsque j'eus déniché la cabine de douche, une bonne dose d'eau brûlante amollit suffisamment le plastoderne pour que je puisse l'arracher. Je trouvai une combinaison de vol à ma taille, et me recoiffai d'une autre perruque. Sa longue frange cachait le A de mon front.

J'entendis siffler le sas qui se fermait, et Carmel entra. Son masque inexpressif d'androïde n'exprimait rien, mais sa voix résonna avec triomphe :

— Du billard ! Tu as eu une idée de génie. Personne ne m'a seulement vu. Je faisais partie du décor. Mais, bon Dieu ! ce que j'ai eu froid !

— Rentre dans la douche, dis-je, et restes-y un moment. Je vais brancher le transmetteur pour demander l'autorisation d'envol. Je le fermerai juste avant de mettre les propulseurs en marche. Guette bien. Tu n'auras que quelques secondes pour sauter dans une couchette, et te sangler.

— Entendu.

Il disparut dans la petite cabine.

Je m'installai aux commandes, bouclai mes sangles, et demandai l'autorisation d'envol. Ils me firent attendre un moment, puis me donnèrent une direction de départ. Je coupai le transmetteur, et criai :

— Carmel !

Il jaillit comme un diable de sa boîte, et sauta sur la couchette.

Je branchai les propulseurs, et décollai.

L'accélération m'enferma dans la sensation d'écrasement familière, puis le navire surgit dans l'espace, me libérant, et le système à gravité artificielle se mit en route.

Je pilotai un moment avant d'enclencher le dispositif qui allait nous précipiter dans l'espace 2.

La distorsion m'engloutit quelques secondes dans un tourbillonnant vertige, et les nausées me montèrent aux lèvres.

Je retrouvai ma stabilité, et le navire était passé dans un autre plan. Il se déplaçait à une vitesse hors de toute commune mesure. Les écrans reflétaient l'océan pourpre, traversé de courants violets et or qui, pour moi, s'appelle espace 2 et qui n'est pas réalité mais tentative de l'esprit pour s'adapter à l'inconcevable. Chacun voit l'espace 2 à sa manière et selon ses propres fantasmes.

Je me retournai vers Carmel. Il riait, montrant ses dents, sans que son masque figé exprime la moindre gaieté.

Je ris avec lui.

Maintenant, nous aurions à jouer nos chances de survivre, mais que nous y parvenions ou non, nous étions libérés de l'esclavage.

A comme androïde ?...

Fini !

CHAPITRE VII

Dernière Chance. C'est un monde mort, et son soleil déclinant brille, rouge, comme un œil maléfique dans le ciel noir.

A l'origine, Dernière Chance portait un nom moins évocateur et servait de relais spatial. On ne se déplace pas à sa surface sans scaphandre, mais l'intérieur de la planète a été creusé et aménagé. Une série de lacs, créés artificiellement, assure ses ressources en liquide, et les cultures hydroponiques le renouvellement de l'oxygène. Elle se présente sous la forme d'un vaisseau spatial géant, avec sas aux entrées et recyclage de l'eau et des déchets. Elle produit sa nourriture, légumes et fruits croissant en régime accéléré sous les lampes solaires, et élèves du bétail. Elle tire son énergie du noyau igné central.

Contrairement à ce qu'on pourrait croire, Dernière Chance est une planète très riche. Elle prospère en exploitant le côté sombre de l'humanité.

Tout s'y vend et tout s'y achète : noix de kelm ; fleurs de rise, qui sucent le sang de leurs adorateurs, en leur procurant du plaisir ; moisissures de Quallin, qui agissent de même, mais tuent à la longue leurs asservis ; alcool de chav, qui emporte ses adeptes sur les ailes de la terreur ; crages, qui exigent vingt grammes de tissu cellulaire en échange de l'extase, etc. Tout ce qui figure sur des listes d'interdiction s'achète sur Dernière Chance. Y existe aussi un florissant commerce d'androïdes AMO, programmés pour satisfaire toutes les perversions imaginables.

On peut s'y procurer des armes, des animaux rares, des antiquités hors commerce, des toiles de collection, des pierres précieuses introuvables, des alcools étranges. Elle achète sans poser de questions, et vend de même. Tout ce qui a été volé d'important dans la Galaxie peut être récupéré sur Dernière Chance, et les compagnies d'assurances, qui préfèrent généralement racheter plutôt que payer la prime, ont avec elle des rapports constants.

Elle accueille en permanence un flot de touristes, et leur offre les distractions les plus perfectionnées. Ses Eros centers, ses salles de jeu et de spectacle, ses palais d'euphorie sont célèbres et à la hauteur de leur réputation.

Elle a des appuis au sein de tous les gouvernements, et jouit d'une totale autonomie.

Lorsque Dernière Chance devint inutile en tant que station-relais, ses installations, mises en sommeil, demeurèrent en bon ordre de marche. Ses accès fermés ne présentaient pas un obstacle insurmontable. Un certain nombre de gens, talonnés par la nécessité, trouvèrent là un refuge commode. Des gens qui, généralement, n'avaient plus rien à perdre, et ne désiraient qu'une chose : survivre, d'une façon ou de l'autre. Peu à peu, la planète s'emplit. Elle demeura longtemps sous le règne de la jungle, une faction prenant le pouvoir, jusqu'à ce qu'une autre s'en empare.

Puis vint Anton. S'il a jamais possédé un patronyme, nul ne le connaît. Lorsqu'il prit en main Dernière Chance, après une série de luttes meurtrières, il était encore jeune. Il y a cinquante ans de cela. Il tient toujours la planète dans sa poigne, et la tiendra sans aucun doute jusqu'à sa mort.

Sous son règne, de grandes réalisations ont été accomplies et il a amené Dernière Chance à un développement optimum. La population n'est pas soumise à un régime de lois très strictes, et règle à l'occasion elle-même ses comptes. Cependant, il existe un impératif à observer : ne pas menacer, déranger ou gêner Anton, de quelque façon que ce soit. Il emploie une armée de mercenaires, qui veille à la bonne observation de cette règle. Qui y manque se retrouve dans un sas éjecteur, sans scaphandre, et fait connaissance avec le vide. Le châtiment est invariable, et inéluctable.

Comme tout acte de nature à troubler un peu trop l'ordre des choses dérangerait certainement Anton, la vie, sur Dernière Chance, se déroule, somme toute, de manière relativement paisible.

Dernière Chance pratique, pour éviter la surpopulation, le système du rite de passage. Elle impose à ses enfants, dès leurs vingt ans révolus, trois tests destinés à prouver leurs aptitudes en matière de survie.

Et si elle continue à accueillir les désespérés, ils ne sont admis qu'après le même examen.

Ces tests sont assez durs pour écarter d'emblée tous ceux qui n'auraient pas réellement atteint le bout de la route. Pour accepter d'y jouer plusieurs fois sa vie, il faut vraiment n'avoir plus d'autre recours.

Mais, l'examen passé, Dernière Chance vous admet avec le statut de citoyen, sans poser de questions.

Nous émergeâmes de l'espace 2, et, durant quelques secondes, la distorsion exposa mes viscères à l'air libre. Je réprimai une nausée, et pris les commandes pour guider le navire vers sa destination.

Ils surgirent de la zone des astéroïdes, comme des rapaces prêts à l'attaque. Deux vaisseaux armés. La garde de Dernière Chance. Les flèches croisées qui la symbolise ornaient leur coque. Je les attendis très sagement, et ils m'encadrèrent.

Je branchai mon transmetteur. Pilote et tireur apparurent sur l'écran, assis à leurs commandes respectives. Ils portaient l'uniforme gris des troupes d'Anton.

— Identifiez-vous !

Si j'étais touriste, transporteur, acheteur, marchand ou agent d'assurances, c'était le moment de le dire. Et vite. Qui refuse de répondre aux questions se volatilise sous les rayons Callen.

— Je réclame le droit d'admission, dis-je.

— Seul ?

— Deux hommes.

— Bien. Nous vous accompagnons. Suivez mon navire.

Je le suivis et son frère se plaça derrière moi.

Dernière Chance, éclairée de reflets sanglants par son soleil rouge, s'enfla et perdit sa rotondité.

Ils me guidèrent jusqu'à la verticale d'un cosmoport qui, d'après ma carte, s'appelait Portenoire. Le contrôle me prit en charge, et ils m'abandonnèrent pour aller reprendre leur garde.

J'atterris à l'endroit désigné. Le contrôle m'ordonna d'attendre la mise en place d'un tunnel d'accès. Je ne risquais pas de faire autre chose. Dernière Chance n'a pas d'atmosphère.

La pièce où Carmel et moi entrâmes aurait évoqué une salle d'attente, sans la profusion de scaphandres qui couvraient ses murs.

Une dizaine d'hommes se trouvaient là, désœuvrés, fumant et bavardant. Ils portaient l'uniforme gris aux flèches croisées.

Ils nous fouillèrent. Le contenu de nos poches ne les intéressa pas. Ils cherchaient des armes.

Quelqu'un tendit la main en demandant :

— Le double de votre clef.

— Je n'en ai qu'une.

— Donnez-la-moi.

Il y passa une étiquette et la rangea.

— Vous n'aurez qu'à la réclamer quand vous en aurez besoin.

Plutôt gentil, ça. Il aurait pu dire : « Si vous en avez encore besoin. » J'appréciai.

Il appela d'un signe un garçon blond d'une vingtaine d'années, dont les yeux sombres évoquaient ceux d'un oiseau mort.

— Silver, tu les prends en charge. Emmène-les à l'hôtel d'accueil.

Nous suivîmes notre guide au long d'interminables couloirs d'acier, puis dans un véhicule ovoïde qui circulait dans un étroit boyau. Il filait à une vitesse vertigineuse.

Le jeune homme blond nous remit aux mains d'un réceptionniste en uniforme, dans le hall de quelque chose qui évoquait plus une caserne qu'un hôtel.

— Vous aurez trois jours de repos avant les tests, expliqua ce concierge, mais vous devrez rester ici. Vous serez enfermés dans votre chambre. Si vous désirez quelque chose, demandez-le. Les repas seront délivrés par le casier mural. Nous avons une bibliothèque, et la télévision donne de très bons spectacles. Si vous voulez des filles, ça peut s'arranger aussi. Tout est gratuit.

Mais comment donc. Pas une caserne, une prison, mais on adoucissait les derniers jours des condamnés. Toujours ça.

— Préférez-vous deux chambres, ou voulez-vous partager la même ?

— La même, bien sûr.

— Possédez-vous des biens ?

J'énumérai nos possessions.

— Remettez-moi ce que vous avez sur vous. Tout vous sera rendu après les tests, ou avant, si vous décidez de repartir sans les passer. Mais je vais vous demander de désigner aussi un bénéficiaire, au cas où...

Lui aussi, évitait d'appuyer. Bien brave...

Je ne voyais pas de bénéficiaire et Carmel non plus.

— Ecoutez, dis-je. Si Carmel s'en sort, et pas moi, c'est à lui, bien sûr. Ce que nous possédons est en commun. Si nous ne nous en sortons ni l'un ni l'autre, donnez tout au prochain ATOF qui arrivera ici, et qui s'en tirera. C'est faisable ?

— Certainement. Je vais le noter.

Il remplit une fiche et enferma nos possessions dans un coffre. Les statuettes, mon collier cadeau, une poignée de DP, ce qui restait de l'argent de Marri. S'y ajoutait le navire. Sur Dernière Chance, possession vaut titre.

La chambre où il nous amena était vaste et confortable. Deux lits, une table et des chaises, des fauteuils, un écran télé de grande taille, un petit bar qui se révéla bien garni, avec casier à glaçons incorporé. Une porte donnait sur la salle de bains.

— Si vous désirez quelque chose, appelez. Lorsque vous aurez terminé vos repas, mettez la vaisselle dans le broyeur. Elle est dégradable.

C'est une méthode employée généralement dans les navires spatiaux. Plus rarement à terre, où les androïdes sont assez nombreux pour assurer tout le service voulu. Je réalisai que je n'en avais pas vu un seul depuis mon arrivée, et je questionnai :

— Pas d'androïdes ?

— Nous en avons peu. Ils prennent de la place, et notre monde est très peuplé. Nos coutumes de vie sont analogues à celles existant sur un vaisseau. Je vous laisse.

Il sortit, et referma la porte. Serrure magnétique.

Je commençai par prendre un bain bouillant. Nous l'avions tiré au sort et j'avais gagné le premier tour.

Durant que je mijotais. Carmel appela pour demander des vêtements, sous-vêtements et chaussures. Nous étions toujours pieds nus, et nos combinaisons de vol étaient crasseuses au possible.

Ce qu'il avait réclamé arriva par le casier mural. Slips, chaussettes, chaussures, chemises et pantalons. Le tout pratique et à notre taille. Pas besoin de plus. Dernière Chance est une planète tiède. Il y règne, toute l'année, une température de vingt-deux degrés. Encore est-elle abaissée par les thermorégulateurs. Sinon, ce monde clos serait plus chaud.

Je m'habillai. J'étais propre, rasé de frais et bien dans ma peau. Une pendule encastrée indiquait 16 h 32, temps de Dernière Chance, qui effectue sa rotation sur trente heures.

Je me versai un verre de gir et criai à l'intention de Carmel :

— Tu veux boire quelque chose ?

— Du caliane, s'il y en a. Sinon du gir.

Je trouvai du caliane et lui en portai un verre.

Il cuisait dans un nuage de vapeur qui embuait la salle de bains.

Sa peau de palissandre luisait, vernie d'humidité, et le A sur son front était d'un rouge de sang frais. Il avala quelques gorgées et grogna de satisfaction.

— Dis donc, Garral, ce type a parlé de filles. Je ne sais pas si tu es tenté, mais moi je vis dans la chasteté depuis que cette vieille salope qui voulait un élixir d'immortalité m'a acheté. J'aime autant te dire que j'ai la fringale !

— Pourquoi pas ? Autant profiter de nos restes. Trois jours avant le grand jeu. Mais je ne vois pas pourquoi ils nous bouclent.

— Facile à comprendre. Tu dis que tu veux passer les tests, et tu te tailles. Une planète, c'est grand. Ils auraient peut-être du mal à te récupérer. Comme ça, ils nous gardent sous la main. Tu appelles, pour ces filles ?

Le visage sur l'écran du transmetteur était celui du réceptionniste. Il m'expliqua que celles qui viendraient ne seraient pas des filles tarifées, mais des volontaires, qui acceptaient de distraire les candidats aux tests.

— Elles resteront quelques heures, dit-il, et elles ne reviendront pas. Pour votre propre bien. Ces trois jours vous sont accordés pour le repos, et je vous conseille d'en prendre le plus possible. Les tests sont durs.

Il énonçait une vérité d'évidence. S'ils étaient faciles, Dernière Chance éclaterait sous la pression de ses habitants. Mais j'aurais préféré qu'il ne me le rappelle pas.

De la salle de bains, Carmel grogna :

— Quel casse-pieds, celui-là ! Est-ce que je lui demande l'âge de sa petite sœur ? En attendant, j'ai bien l'intention de profiter de l'existence. Remplis mon verre, tu veux ?

Je le lui remplis, et remplis aussi le mien. Nous bavardâmes un moment. J'étais assis sur le rebord de la baignoire et je commençai à réaliser que j'avais les fesses dans l'eau, ou quasiment.

— Sors de là, dis-je, et habille-toi ! Tu ne vas pas recevoir ces jeunes beautés au cœur tendre installé dans ton bain comme un empereur décadent. Allez ! Remue-toi !

— Jeunes beautés au cœur tendre ? Optimiste ! Si ça se trouve, c'est plutôt des vieilles refoulées. Mais tant pis. En ce moment, je me contenterais d'une centenaire du style Carabosse.

— Pas moi, dis-je. Les vieilles refoulées, j'en ai eu mon comptant.

Mais il n'était pas question de cela. Les filles qui vinrent nous visiter étaient plaisantes. Une petite blonde vive comme une anguille et une rousse potelée.

Elles étaient gentilles, excitées, ravies de nous découvrir consommables, et de n'avoir pas à accomplir un acte de charité. Elles firent elles-mêmes leur choix, et j'héritai de la rousse grassouillette.

Son corps était moelleux, tiède et accueillant.

CHAPITRE VIII

L'ascenseur s'enfonçait au cœur de la planète. Symbolisme d'une descente aux enfers. La situation qui convenait. Pas un ascenseur, du reste, mais un moyen de transport presque analogue à celui d'un vaisseau spatial. De l'intérieur de la cabine, sa vertigineuse vitesse n'était pas perceptible.

J'étais assis sur une banquette, à côté de mon guide qui s'appelait Jaume. La quarantaine, des cheveux châtains et des yeux d'un gris de métal. Il m'avait pris en charge un peu plus tôt, en début de matinée.

Carmel était parti de son côté, en compagnie d'un autre convoyeur. Nous avions échangé les souhaits de chance rituels.

Je n'étais pas nerveux. Je l'avais été avant de m'endormir et au réveil, mais, à présent, c'était parti. Je m'en tirerais, ou ne m'en tirerais pas. Inch Allah !

A l'arrière-plan de ce détachement islamique, la peur restait tapie, braise mal éteinte qui se rallumerait aisément. Je m'arrangeai pour l'ignorer.

Je regardais, assise en face de moi, une

petite passagère blonde aux yeux candides. Une enfant, à la limite de l'adolescence. Pas plus de quatorze ans. Elle souriait à quelque rêve intérieur, ses mains sages posées sur ses genoux. Ses cheveux avaient ce soyeux qui n'appartient qu'à la prime jeunesse. Ils bouclaient en petits frisons sur ses tempes. Son regard bleu se perdait dans le vague. Son visage, toute grâce, me faisait du bien.

Mon guide se leva et j'en fis autant. L'ascenseur s'arrêtait et ses portes bâillèrent.

Juste avant que je suive les passagers sortants, la petite blonde me découvrit, ainsi que l'homme armé qui m'accompagnait. Elle vit le A sur mon front, s'étonna, comprit et me dédia un large sourire confiant.

Je l'emportai comme un talisman.

La suite du voyage s'effectua dans l'un de ces véhicules ovoïdes qui sont projetés comme des balles de fusil dans un étroit boyau. Mon guide était taciturne, ce qui me convenait très bien. Je n'étais aucunement enclin au bavardage. Il alluma une cigarette, m'en offrit une. Nous fumâmes en silence.

La pièce où il me fit entrer était encombrée d'ordinateurs. Leurs cadrans me regardaient de leurs yeux morts. La pendule annonçait 9 h 17. Un écran géant occupait la moitié d'un mur.

Jaume me fit asseoir et commença son exposé, de la voix unie d'un guide professionnel enfermé dans la routine d'explications dix mille fois répétées.

— Les deux premiers tests sont tirés au sort. Le troisième est le même pour tous les candidats masculins. Je dois vous demander si vous êtes toujours décidé à les passer ?

— Je suis là pour ça.

— Bien. Vous aurez une autre chance de renoncer lorsque vous connaîtrez les détails de votre premier test.

Il me désigna de la main un clavier à touches colorées.

— Vous allez choisir trois couleurs différentes et vous appuierez trois fois.

Je me levai. Le clavier offrait les sept teintes du prisme, plus le blanc et le noir.

Je pressai ces deux dernières, puis le rouge. Sans raison logique, et sans hésitation non plus. Choix du subconscient. L'ordinateur ronronna et cracha une plaquette perforée.

Jaume l'examina et la glissa dans une fente à proximité de l'écran.

— Je vais vous montrer, dit-il.

L'écran s'alluma, révélant une muraille sombre, grumeleuse, fissurée de craquelures. La caméra se promena.

Un puits. D'une dizaine de mètres de diamètre. Probablement d'origine volcanique. De la lave durcie tapissait ses parois bosselées. Des projecteurs fixés de place en place l'éclairaient.

L'image se fondit, pour offrir une vision en perspective. Le puits se rétrécissait, filant vers un lointain invisible. Une pointe d'aiguille de clarté tremblotait dans ses profondeurs. La caméra monta, pour révéler la même fuite interminable des murailles qui se rejoignaient sur le néant.

Fondu enchaîné. Bouillonnement d'un lac de

matière ignée qui se gonfle, crève en bulles, jaillit en giclées ardentes, et retombe en lourds mouvements de pâte qui travaille.

— Le fond du puits, dit Jaume. Il sera assez loin de vous pour que vous ne risquiez pas de cuire vivant, mais il fera tout de même très chaud.

La pâte écarlate bougeait et roulait, s'enflait et éclatait. Elle disparut. La caméra se braqua sur une porte massive, enclose dans la muraille du puits, et sur une plate-forme cernée d'un garde-fou.

La voix unie de Jaume commenta :

— Vous monterez sur cette plate-forme. Je refermerai la porte. Si vous changez d'avis à ce moment-là, il sera trop tard. Il est impossible d'ouvrir cette porte de l'extérieur. Il en existe une identique, beaucoup plus haut. Celle-là s'ouvre. Pour l'atteindre, vous devrez grimper. Je n'ai pas le droit de vous dire à quelle distance elle se trouve de la première, mais le trajet sera très long. Les gaz qui s'échappent de la masse ignée sont drainés et ils ne vous gêneront pas. Ce que vous aurez à affronter, c'est l'escalade et la chaleur. Vous voulez d'autres détails ?

— Equipement ?

— Pas d'équipement. Vos mains et vos pieds.

— Je voudrais revoir cette muraille. En gros plan.

Jaume appuya sur une touche et le film revint à la première image. Il s'y fixa. J'examinai le terrain. Bosses, creux, saillies, craquelures, failles et aspérités. Faisable... Peut-être...

Mais j'aurais bien voulu connaître la distance à parcourir. Jaume ne me la donnerait pas et je demandai autre chose :

— Quelle température ?

— Variable. Entre trente et quarante degrés. Vous acceptez ? Prenez votre temps pour réfléchir.

— Je ne suis pas venu là pour changer d'avis.

— Vous en aurez encore la possibilité, juste avant que je referme la porte. Nous ne contraignons personne. Mais, la porte fermée, ce sera terminé. Pesez bien votre décision.

— Il y en a beaucoup qui changent d'avis au dernier moment.

— Ça arrive.

Il sourit brièvement et son regard gris s'humanisa.

— Mais pas vous. Vous n'en changerez pas. Je fais passer les tests depuis assez longtemps pour être bon juge, et j'ai déjà accompagné deux ou trois ATOF. Voyez-vous, pour accepter, il faut être profondément motivé, et vous l'êtes. Tous.

— Par quoi, à votre avis ?

— Par la haine. Je devrais me taire. Je ne suis pas censé parler avec les candidats, mais je ne suis pas non plus une machine. Vos chances sont meilleures que celles des autres. Je le sais. J'ai passé moi-même les tests, il y a une quinzaine d'années. On réussit quand on est poussé par un peu plus que le désir de survivre. Je crois que vous réussirez. Venez. Il faut y aller.

La porte épaisse fermait le bout d'un long couloir. A côté d'elle, encastrés dans la muraille, un petit placard et un lavabo.

Jaume ouvrit le placard et en tira des comprimés.

— Du sel, dit-il. Avalez-en trois. Ensuite, vous boirez. Le plus possible. Vous êtes à l'aise dans vos vêtements ?

— Ça va.

— Je vous conseille de les garder. Ils vous protégeront de la roche et conserveront un peu votre transpiration. Vous allez vous déshydrater.

Chemise et pantalon étaient légers, et ne me gênaient pas. J'examinai mes chaussures : souples et confortables. Je décidai de les garder aussi.

J'avalai les cachets et bus. Longtemps, à gorgées lentes. Je m'arrêtai quand mon estomac dilaté refusa d'accepter une goutte de plus.

— Je suis prêt, dis-je.

— Il faut que je vous signale, dit Jaume, que vous allez être filmé. Il y a des caméras partout. Nous découpons les séquences intéressantes. Il existe des amateurs pour ce genre de film. Plus que vous ne pourriez croire.

Tiens donc. Des voyeurs ?... Ça ne me plaisait guère, et même pas du tout. Des yeux avides, qui guetteraient la défaillance et la chute... Une belle séquence. Longue. Le fond était loin. Qu'ils crèvent !

Jaume ouvrit la porte. Je regardai.

Les projecteurs éclairaient certaines zones

de flaques lumineuses, et en laissaient d'autres dans l'ombre. Le puits plongeait, vertigineux. Les taches de lumière s'amenuisaient peu à peu. Tout au fond d'un cône de noirceur, une étincelle de lumière clignotait.

Je montai sur la plate-forme. Un souffle de chaleur m'enveloppa.

— Je ferme ? demanda Jaume.

— Fermez.

La porte bougea. Juste avant qu'elle ne se referme complètement, Jaume me souffla :

— Bonne chance !

J'examinai le haut. Pas trace de porte, aussi loin que portait mon regard. Le puits s'élevait vers une même perspective rétrécie, noyée dans l'ombre. Un projecteur m'épinglait dans sa lumière. Une chaleur sèche semblait sourdre des murailles. Puis un souffle brasillant monta, comme une bouffée exhalée par l'haleine d'un dormeur.

Le trop plein d'eau absorbée me donnait envie d'uriner. Je le fis, face au puits, dans un geste de défi puéril, mais qui me soulageait en soulageant ma vessie. Je leur souhaitais de trouver la séquence à leur goût.

Puis je cessai d'imaginer des spectateurs et m'occupai de la tâche à accomplir.

Je passai sous le garde-fou, pour palper la muraille. Ma main gauche trouva une bosse et j'y collai mes doigts et ma paume. J'adhérai comme une ventouse. Mon pied gauche tâtait. J'enfilai mes orteils dans une fissure. Je lâchai le garde-fou et cherchai d'autres prises. Main droite, pied droit. Bras ouverts, jambes écartées, je collais à la muraille. De tout mon corps. Ma joue s'appuyait sur une petite zone tiède, tendre comme de la chair de femme. La roche n'était pas encore l'ennemie.

Au début, ce ne fut pas trop dur. Une prise là, une autre ici. Mains et pieds s'incrustent et le corps suit. Je transpire. Ne jamais regarder en bas. Je suis une ligne brisée qui zigzague de gauche à droite, de droite à gauche, en suivant les prises accessibles. Je ne pense pas. J'étreins la roche, je l'épouse, je l'embrasse. Je lui fais l'amour, pouce par pouce, avec mes cuisses, mon ventre, mes bras, ma poitrine. Je la veux, comme je n'ai jamais voulu aucune femme.

A présent, je la haïssais. De toutes mes forces. Parce qu'elle cherchait à me tuer. La peur m'habitait. Elle était dans mes os, dans ma chair, elle coulait avec mon sang. Elle glissait sous mes ongles, tremblait dans mes orteils, tirait sur mes muscles. Elle me piquait les yeux, avec la sueur.

La chaleur était une chose palpable, l'haleine de Satan qui me desséchait. Je tremblais. Mes muscles torturés refusaient de servir, et je les forçais, comme on force un cheval fourbu. L'air entrait dans mes poumons en bouffées de flammes. Deux fois, mes pieds avaient glissé, et j'étais resté suspendu par les doigts, le cœur cognant, une immense envie de vomir remontant de mes entrailles.

Je m'accrochais, sans en comprendre la raison, alors que le désir de lâcher devenait irrésistible. Un besoin exigeant, absolu, et je voyais ma chute comme une lente et molle descente de rêve, la feuille morte de mon corps voletant jusqu'à l'épais matelas de nuage d'où viendrait l'apaisement.

Je trouvai une fissure, y enfonçai entièrement mon pied gauche, et me reposai un peu, tout mon poids sur cette jambe, comme une cigogne perchée. Je léchai ma sueur. Son âcreté salée devint la seule saveur existante. Mes vêtements trempés adhéraient à ma peau. Un projecteur déversait sur moi sa lumière, et je fermai les yeux, pour lui échapper. La chair de la muraille entrait en moi, et je la haïssais.

Ma jambe gauche s'agitait, trépidant sous l'effet de petites secousses nerveuses. Je renversai la tête, pour essayer de voir plus haut. Rien. Mais je ne croyais plus à cette porte. J'étais dans une cage d'écureuil, et je grimperais éternellement, pris au piège d'une séquence de temps où il me faudrait recommencer toujours les mêmes gestes. A jamais.

J'accrochai ma main droite et tirai, acceptant ma condamnation.

J'avais dépassé le stade de la peur et celui de l'épuisement. Je grimpais, avec la ténacité obtuse d'une fourmi. Je n'habitais plus mon corps. Un double de moi-même, tout proche, endurait un infernal supplice. Sa géhenne ne me touchait que par répercussion, parce que j'étais lié à son esprit, jumeau du mien.

Mon double grimpait.

Une main trouva un appui, l'autre la rejoignit. Des avant-bras tirèrent le torse. Un genou. L'autre. Un corps se tourna et s'assit.

Je restai là, tassé sur moi-même, les yeux clos, heureux d'un bonheur purement physique. L'air qui entrait dans mes poumons devint peu à peu moins brûlant. Mes muscles se relâchèrent. Je calai ma joue sur une surface lisse et je m'endormis.

La soif me réveilla. Je découvris mes mains en sang, mes genoux couronnés pointant hors d'un pantalon déchiqueté, la plate-forme, et la porte sur laquelle je m'appuyais. Je n'en ressentis pas de triomphe, seulement un immense étonnement.

Je me levai. J'étais en carton, et chaque mouvement provoquait une déchirure.

Je bus, je mangeai, et je dormis quinze heures d'affilée. L'animal était de nouveau en forme et prêt pour le deuxième départ.

On m'offrit tout de même deux journées de repos. Je n'étais plus à l'hôtel d'accueil et je n'avais pas revu Carmel. J'espérais qu'il s'en tirait aussi.

J'occupais une chambre dans une clinique militaire. Je passai mon temps de répit à lire, à manger et à dormir.

J'ajoutai à ma liste de gens cordialement détestés le nom d'Anton. C'était lui qui avait instauré la coutume des tests.

CHAPITRE IX

— Choisissez vos couleurs, dit Jaume.

Sa voix était calme et indifférente. Je n'éprouvais pas énormément de sympathie pour lui.

J'étais considérablement plus nerveux que la première fois. A présent, je connaissais la vacherie. A fond. Je souffrais d'une bonne crise de trac.

Je sélectionnai une touche. Bleu, la couleur de Terra. Jaune, son soleil. Vert, les sapins du Jura. Choix rapide. Il fallait bien en faire un.

Jaume se leva pour récupérer la plaquette. Il était rasé de frais et son uniforme semblait sortir de l'emballage. Ses yeux gris gardaient leur distance.

— Cette fois, dit-il, je n'ai rien à vous montrer. Vous connaissez les androïdes. Vous allez en affronter un. Programmé pour tuer.

Je mâchai la nouvelle. Elle avait un sale goût. Je m'efforçai de la digérer.

Jaume continua :

— Je vais vous peser. L'androïde aura un poids égal au vôtre, et ses réflexes ne seront pas plus rapides que ceux d'un être humain.

De plus, son programme comporte des circuits spéciaux. Quand vous le frapperez, il enregistrera les coups, et en sera handicapé, exactement comme si vous combattiez un adversaire normal. Supposons que vous fassiez quelque chose qui, logiquement, devrait lui briser un membre. Il ne pourra plus s'en servir. Et il cessera de lutter quand vous l'aurez tué.

— Ou quand il m'aura tué.

— Mais non. Vous avez survécu au premier test. Vous vous en sortirez.

Gentil de sa part, mais j'en étais moins sûr que lui.

— Vous pouvez refuser, dit Jaume.

— Allez vous faire foutre ! Vous savez bien que je n'ai pas le choix.

Il me faisait face. Une belle mécanique, taillée à la ressemblance d'un homme jeune et bien bâti. Les faux muscles gonflaient son torse, ses bras et ses cuisses. Mais ses yeux étaient deux fenêtres vides. Pas de passion, pas de colère. Ce qui lui tenait lieu de peau avait cette teinte beige-rose, qui n'a jamais ressemblé, de près ou de loin, à de la chair vivante. Il allait s'efforcer de me tuer, et je ne parvenais pas à le haïr. Difficile d'exécrer un mannequin.

La pièce où nous étions enfermés était nue. Ses murs métalliques luisaient. La porte verrouillée ne s'ouvrirait qu'après la fin. Sa fin. Ou la mienne. Pas de témoins visibles, mais je sentais sur moi les yeux aveugles des caméras.

Nous portions tous les deux le même slip

bleu marine, et un A identique marquait nos fronts. Là s'arrêtait la ressemblance. J'étais chair, os, cartilages et sang, lui connexions électriques.

Je le guettais et il me guettait. Un renflement artificiel marquait son bas-ventre. Si je me fiais à Jaume, il était, à cet endroit, aussi vulnérable que je l'étais moi-même.

Je projetai ma jambe droite. Il esquiva d'un mouvement souple et sa main vola jusqu'à ma cheville. J'accompagnai la torsion et me laissai choir. Ma jambe gauche remonta à la verticale, et mon talon toucha durement son foie. Je libérai ma cheville.

Je boulai sur le dos. Il sauta. Je roulai, juste à temps pour éviter l'impact de ses pieds sur ma cage thoracique. Il fut sur moi avant que je ne sois complètement redressé. Je basculai sous son poids. Ses doigts crochetèrent dans ma gorge.

Il était rapide, terriblement rapide. Plus que moi ? Peut-être, malgré les affirmations de Jaume.

Ses deux mains serraient mon cou comme des pinces d'acier. Je remontai mes jambes et donnai une détente furieuse. Sans réussir à le décoller. Je commençais à manquer d'air et à voir du rouge. Je trouvai ses orbites et y enfonçai mes pouces. Il lâcha ma gorge pour saisir mes poignets. Je me mis à genoux et projetai ma tête comme un bélier. Mon crâne le frappa sous le menton. Il bascula et se releva dans la même détente, comme un jouet lesté de plomb.

J'étais debout aussi. Il se déplaçait à petits

pas légers. Je le surveillais. Je transpirais, pas lui. Ses yeux en verre à vitre ne regardaient rien. Je commençai à le détester suffisamment pour que naisse la rage. Il se transformait en symbole.

Je feintai du droit, et frappai du gauche. Il esquiva quand même. Je ne l'atteignis qu'à l'épaule. J'eus l'impression d'avoir cogné sur du ciment. Le tranchant de sa main arrivait sur mon cou. Je le bloquai du coude et ruai dans son genou. Il rompit.

Je le touchai trois fois. Sans le déséquilibrer. Il semblait indestructible. Mes coups ne le marquaient pas, il ne saignait pas, ne hoquetait pas et ne paraissait pas affaibli. Je le haïssais. Sur ses traits inexpressifs, je voyais se poser comme un masque le double de visages exécrés.

Son pied partit vers mon entrejambe. Je n'esquivai que partiellement. Il frappa ma cuisse, près de l'aine, avec l'impact d'un marteau. Je tombai. Il plongea sur moi. Je remontai ma jambe valide pour le recevoir et je le cueillis au plexus. Il partit à la renverse, et s'écrasa lourdement au sol. Je me relevai. Pas très vite. De l'aine au genou, ma cuisse était un bloc de douleur.

Mais lui aussi avait accusé un choc. Pour la première fois, il me parut un soupçon moins rapide. Je lui enfonçai mes doigts raidis dans la trachée, et doublai par un coup de tranchant à la base du cou. Je n'avais pas frappé tout à fait assez dur. De nouveau, son pied cogna ma cuisse, juste au même endroit.

Ma jambe se déroba et je tombai. Il me prit

par-derrière, son genou dans mon dos, et son coude sous ma gorge. Mon corps s'arqua fantastiquement. Dans deux secondes, il ferait craquer mes vertèbres. Ma bouche béa. Je bavai.

Mes mains qui le cherchaient frénétiquement trouvèrent ses oreilles. Je m'y accrochai avec l'énergie du désespoir. Quelque chose céda, en produisant un bruit d'étoffe déchirée.

La prise qui me tuait faiblit. Je libérai mon cou de son bras, empoignai son biceps, exerçai une violente traction, et ruai en même temps. Il fit un soleil par-dessus mon dos.

Je haletais comme une bête malade. Je dus forcer ma jambe pour me relever. Des flèches de souffrance suraiguë en partaient, pour s'enfoncer au vif de ma cervelle. L'os devait être au moins fêlé. Mais j'avais encore besoin de cette jambe. Donc, il fallait qu'elle continue à servir.

L'androïde était de nouveau là. Vicieusement, il lança son pied. S'il m'atteignait encore au même endroit, j'étais mort. J'esquivai par je ne sais quel miracle. Je tentai de saisir sa cheville au vol, mais ma jambe ne répondit pas suffisamment vite. Je te ratai.

Ses doigts en fourchette volèrent sur mes yeux. J'attrapai son poignet. Mon autre main coinça son coude. J'abattis son avant-bras sur mon genou valide, comme pour rompre du bois. Chez un homme, l'os n'aurait pas résisté. Et l'androïde se comporta comme si tel était le cas. Son bras pendit, inutile. Ma jambe l'était aussi, ou presque, mais lui obéissait à un programme. Pas moi. Je pouvais me contraindre et nier la douleur.

J'exploitai mon avantage. Je le martelai de coups, avec un plaisir sauvage. J'en encaissai aussi. Je n'étais plus très bon pour l'esquive et il se servait bien du poing qui lui restait. Mais son handicap était plus lourd que le mien. Il n'avait plus la possibilité d'effectuer une bonne prise.

Je le sentis faiblir, et j'exultai.

J'écrasai ses yeux, son nez, ses belles dents d'androïde. Le tranchant de ma main enfonça sa trachée.

Il s'effondra.

Je fus sur lui dans la même seconde. Ses oreilles pendaient, à demi arrachées. Je l'empoignai par ses raides cheveux noirs et je commençai à lui cogner la tête sur le sol.

— Vous pouvez le lâcher, dit Jaume. Théoriquement, il est tout à fait mort.

Je ne l'avais pas entendu entrer et je ne crois pas que je perçus ses paroles. J'étais encore un animal, soûl du désir de meurtre.

Lorsqu'il se pencha pour me toucher l'épaule, je lâchai l'androïde pour le saisir à la gorge. Je serrai, voluptueusement.

Je ne le vis pas sortir son petit pistolet. Une aiguille anesthésiante s'enfonça dans mon cou. Elle fit naître une vague noire où je m'engloutis.

CHAPITRE X

L'écran reflétait une forêt. Indigo. Les troncs montaient, bleus, rigides, coupés par des nœuds en bourrelets. La caméra glissa jusqu'au lourd bouquet terminal, qui se courbait sous son poids. Il évoquait un épi, les grains monstrueux enserrés dans leurs balles.

— Vous connaissez le blé bleu ? demanda Jaume.

— Croisement entre le blé terrien et l'arfa de Blue ?

— Oui. Aussi bizarre que ça puisse paraître, ce que vous voyez là, c'en est.

— Mais il est démesuré !

— En effet. C'est une histoire assez curieuse. Nous vivons des hydroponiques. Bien entendu, nous nous efforçons d'en obtenir un rendement maximum. L'un de nos agronomes a expérimenté un nouvel engrais sur le blé bleu. Ça paraissait donner de bons résultats, et nous avons ensemencé un large territoire, sous soleil artificiel. Et quelque chose d'imprévu s'est produit. Le blé a poussé, certes, de plus en plus, puis nettement trop. Une mutation accélérée, qui a produit ça. Des grains assez gros pour nourrir un régiment, seulement, ils sont inconsommables. Lors des essais en labo, tous les animaux alimentés avec ces grains ont muté de façon plus ou moins bizarre. Nous avions le choix. Ou détruire entièrement la récolte, ou poursuivre nos expériences. C'est cette dernière solution qui a prévalu. Nous avons isolé complètement la caverne, et les entrées ont été pourvues de sas à décontamination. Puis nous avons lâché là-dedans des insectes, des oiseaux, des rongeurs et des prédateurs. Le résultat est surprenant. Nous n'avons pas encore réussi à isoler l'élément agissant de cet engrais, mais nous l'utilisons toujours dans la jungle bleue, à la satisfaction générale. Nous y organisons des safaris, nous y promenons les touristes, nous y tournons des films, et nos chercheurs l'étudient. Nous l'utilisons également pour le dernier test des candidats masculins.

— Les femmes ont un régime de faveur ?

— Certainement. De même que les vieux ou nos jeunes gens. Les tests sont proportionnés à leur force physique et à leur capacité de résistance. Tout le monde a ses chances de réussite. Nous essayons d'être équitables.

Comment donc. Très équitables. Dans leur optique, peut-être. Une petite flamme de rage me chatouillait l'estomac.

— Ne me détestez pas, dit Jaume, de sa voix paisible. Je ne suis qu'un instrument. Je fais passer les tests, c'est mon métier, et voilà tout.

— Et vous l'aimez ?

J'avais un peu appuyé sur l'ironie.

Une toute petite étincelle alluma ses yeux froids, puis s'éteignit.

— C'est une question à laquelle je ne répondrai pas. Et je ne crois pas que cela vous regarde.

Sa voix restait calme, détachée. Pas une seule fois il n'avait fait allusion à ma tentative de strangulation. Comme il le disait, c'était son métier. Il devait avoir l'habitude des réactions de ce genre. Je ne le détestais pas vraiment, mais je ne l'aimais pas non plus.

La caméra se promenait dans une illusion de ciel bleu. Un soleil pas plus gros qu'un poing, jaune d'or, brillait au zénith. Le blé géant balançait ses épis. La caverne devait être immense. L'impression de plein air était totale. Un oiseau passa, trop rapidement pour que je puisse le détailler. Il plongea et disparut dans l'indigo du blé.

— Passons aux modalités, dit Jaume. L'eau irrigue les racines par le sous-sol. Vous ne pourrez pas l'atteindre, mais même si vous le pouviez, je ne vous conseillerais pas de la boire. Elle contient l'engrais et l'agent responsable des mutations. Pour la même raison, vous ne pourrez pas boire aux abreuvoirs, qui sont alimentés par la même eau. La chair des animaux n'est pas à consommer, et encore bien moins le blé. Deux candidats n'ont pas respecté ces impératifs. Le premier est mort juste après avoir franchi le sas. Le second, qui présentait des symptômes de folie furieuse, n'a résisté qu'une journée de plus. A notre grand regret, nous aurions bien aimé le garder en observation. Dans les deux cas, l'autopsie a révélé un début de modification cellulaire très bizarre, et nous aurions aimé en apprendre plus sur le sujet.

— Vous n'avez jamais expérimenté sur l'être humain ?

— Pas jusqu'à ce jour. Nous l'envisagerons peut-être.

— Sur les candidats ?

— Sûrement pas. Nos tests laissent des chances, celui-là n'en laisserait aucune. Non. Sur des condamnés à mort, peut-être. Nous pourrions leur laisser le choix : expérimentation ou le sas.

— Vous me dégoûtez, dis-je. Vous, votre foutue planète, et Anton.

— Ne jouez pas l'enfant de chœur, Saltienne, vous n'en êtes pas un ! Qu'est-ce que vous espériez en venant ici ? Un paradis de douceur suave ? Les anciens de Dernière Chance ont survécu à la jungle. Les autres ont tous passé les tests. Il n'y a pas de faibles ou de lâches chez nous, tout simplement parce qu'ils ne survivent pas. Nous sommes durs, par nécessité, et vous l'êtes aussi, sinon vous ne seriez pas là, à discuter avec moi les modalités de votre prochain test de survie.

Je l'avais tout de même mis en colère. Un petit peu. Le ton de sa voix s'était légèrement échauffé. J'en ressentais une satisfaction tout à fait disproportionnée avec l'incident. Il se reprit très vite.

— Ne nous égarons pas. Cette fois, vous aurez un équipement. Des vivres et de l'eau pour dix jours, temps de Dernière Chance. Dans la jungle bleue, les trente heures se divisent en deux périodes : clarté et obscurité. Le soleil artificiel brille durant dix heures, puis s'éteint cinq, et recommence. Vous aurez environ neuf cents kilomètres à parcourir pour rejoindre la sortie. Evitez de vous faire mordre, même par un petit animal. Il n'est pas impossible qu'il puisse vous contaminer. Même réserve en ce qui concerne les insectes. Il y a de gros prédateurs, aussi l'équipement comporte un brûleur, mais il sera peu chargé. Vous pourrez tirer dix demi-charges ou cinq charges pleines. A vous de choisir. Vous aurez aussi un pisteur. Il est réglé sur le sas de sortie, et il vous guidera dans la bonne direction. Des questions ?

— Pourrai-je avoir un couteau ?

— Un couteau est prévu avec l'équipement.

— Le blé est combustible ?

— Beaucoup trop. Ses tiges brûlent très bien. Nous avons un dispositif anti-incendie ; un foyer risquerait de le déclencher et vous seriez étouffé sous la mousse. A éviter soigneusement.

— Très gentil, dis-je. Voulez-vous m'expliquer comment je m'y prendrai pour dormir, dans une région à prédateurs, sans la protection d'un feu ?

— C'est votre problème.

C'était le mien, en effet. Même pas la peine de s'irriter pour ça.

Il énonça son sempiternel :

— Vous acceptez ?

Je me levai.

— Finissons-en.

Jaume me déposa à l'intersection de deux sentiers. Humus brun, mêlé de sphagnum. De chaque côté, les troncs indigo s'élançaient vers la lumière. Je n'arrivais pas au premier anneau de la tige. Je me sentais fourmi, perdue dans les moissons.

Nous étions arrivés jusque-là en navette, après avoir survolé l'étendue bleue mouvante. Le quadrillage net des sentiers la découpait en carrés réguliers.

Je descendis de la navette, et Jaume me passa mon sac.

— Bonne chance ! Saltienne.

— Allez vous faire foutre !

Mais je souriais. Pas tellement mauvais type, finalement.

La navette décolla. Je la suivis un instant des yeux.

J'étais bien équipé. Chemise et pantalon de grosse toile indéchirable, bottes, ceinturon avec le brûleur et un couteau. Mon sac à dos contenait des biscuits d'aliments concentrés et un bidon d'eau. J'avais une montre à dateur au poignet et le pisteur dans une poche.

La température était agréablement tiède, et le ciel bleu tendre me rappelait celui de Terra. Les hauts troncs donnaient un peu d'ombre et je m'y assis pour terminer la cigarette offerte par Jaume. Elle avait une saveur exquise, et je la savourai pleinement. La dernière ? Celle du condamné ? Foutre non. Je me tirerais de ça aussi.

J'éteignis le mégot dans l'humus et je me levai. Un papillon passa. Je n'avais jamais rien vu de pareil. Large comme mes deux mains, d'un violet délavé d'or. Il se posa sur un tronc, déroula sa trompe et la planta avec la précision d'une lancette. Ses antennes duveteuses bougeaient, en lentes oscillations. Son corps velu s'enflait peu à peu. Il retira sa trompe et s'envola, alourdi.

Je tirai le couteau de sa gaine. Belle lame et manche lourd. Je le soupesai, puis le pris par la pointe. Je le lançai. Il se ficha dans un tronc, juste à la place visée. Je n'avais pas perdu la main. Je comptais sur ça pour économiser mon brûleur à charge avare. Je retirai ma lame, en libérant une coulée de sève.

Je sortis le pisteur pour me repérer sur sa ligne mobile.

En route !

**

Trois jours écoulés. Trois périodes de trente heures.

Je marchais de l'aube au soir. J'avais trouvé une solution au problème du repos nocturne. Je dormais dans le creux laissé par un grain tombé, au cœur de la balle. Pour l'atteindre, je taillais des marches au couteau dans le tronc.

Trois jours, et deux charges tirées. J'avais été attaqué par un grand prédateur, totalement invraisemblable. Mélange de fourmilier et de scorpion. Une trompe, un corps à segments plats, et une queue à aiguillon. Six pattes. Rapide. Très. Il avait foncé sur moi comme un char d'assaut.

La deuxième charge avait détruit un oiseau

coureur, un peu plus gros qu'une autruche. Animé de mauvaises intentions, et plus intelligent qu'un oiseau ne devait l'être.

Il m'avait suivi très longtemps, sans se manifester autrement que par un bruissement qui accompagnait mes pas, et cessait lorsque je m'arrêtais. Et il m'avait attaqué peu avant le soir, juste au moment où j'étais occupé à tailler ma première marche dans un tronc.

Je l'avais senti, dans mon dos, plus qu'autre chose, et je m'étais retourné juste à temps. Le sale bec était déjà sur moi.

Les petits animaux ne me gênaient pas. Ils avaient plutôt tendance à fuir, et je tuais au lancer ceux qui refusaient de céder la place. Les insectes n'étaient pas ennuyeux non plus. Tous de bien trop grande taille pour qu'ils puissent m'approcher sans que je les repère.

La nuit, je m'en remettais à la chance. Le creux dans l'épi faisait une niche à peu près confortable. Je rationnai l'eau qui baissait quand même dans le bidon, et les biscuits, s'ils me nourrissaient, ne satisfaisaient guère mon estomac. Je rêvais d'un quartier de viande juteux.

Le pisteur repérait la route pour moi. Les sentiers nettement tracés limitaient les risques de s'égarer. Ma montre découpait les quinze heures trente de demi-rotation de Dernière Chance. Son grignotement obstiné me tenait compagnie.

Des trois tests, celui-ci me paraissait le moins pénible. J'étais en plein air, ou, du moins, j'en avais l'illusion. Marcher ne me déplaisait pas, et je ne ressentais rien d'autre, au soir, qu'une lassitude venue du chemin parcouru. Et, pour la première fois, les caméras ne m'épiaient pas. Si je devais crever, j'aurais la satisfaction de le faire sans témoins. Toujours ça.

J'étais sur mes gardes, mais pas spécialement effrayé. Rien de comparable à l'escalade du puits. Ce test-là m'avait marqué suffisamment pour que j'en aie encore des cauchemars.

Sixième jour. Plus de la moitié du chemin. Du moins, je l'espérais. J'étais barbu, crasseux, fatigué et suant. Il me restait des vivres et de l'eau, mais j'étais affamé et assoiffé presque en permanence.

Mon brûleur contenait deux charges et demie. J'en avais utilisé la moitié d'une pour éventrer une fourmilière. Très bizarre. Un petit château fort d'humus pétrifié, qui se dressait au milieu du sentier. Quand je m'en étais approché, les insectes m'avaient couru dessus avec un ensemble parfait. Des fourmis presque aussi longues que mon pouce, d'un joli bleu céruléen, et télépathes. Mais oui. J'avais perçu des formes-pensées primitives, exprimées en symboles : *ennemi, crainte, fureur, attaque.*

La demi-charge tirée dans la forteresse avait suffisamment occupé les bestioles pour que je puisse filer. Sans traîner. Elles grouillaient autour de mes bottes, et je craignais une morsure.

Pour deux autres agresseurs, mon couteau avait suffi.

Le premier avait à peu près la taille d'un renard. Bleu, dépourvu d'oreilles, ses yeux pivotaient dans leurs orbites comme ceux d'un caméléon. Son sang était aussi azuré que sa fourrure. Le second ressemblait au produit de l'union hors nature d'un coq et d'un tatou. Une queue de plumes flottantes, un long cou dénudé terminé par une tête chauve, et des ailes rognées surgissant d'une carapace de plaques cornées.

Je marchais depuis mon réveil. Le jour de dix heures approchait de son milieu, et je commençais à envisager une pause ainsi qu'un petit repas.

Le sentier taillait dans les troncs indigo, immuablement brun et net. S'y dessina brusquement un entrelacs de couleurs qui se mêlèrent, se fondirent, explosèrent en bulles fusantes qui perçaient mes prunelles. Je m'arrêtai, clignant des paupières.

Les couleurs tournoyèrent, roue de pourpre et d'or qui tourbillonna, s'enroulant comme une nébuleuse. Je voulus bouger, et ne le pus. Un plaisir exquis m'envahissait, me parcourant de vibrations insoutenables.

Une étincelle de tremblotante conscience essaya de me réveiller. La roue de flammes se déplaçait, s'approchant de moi. L'étincelle de raison brilla plus fort, alimentée par une peur vague. Ma main remua, imperceptiblement.

Le plaisir coulait comme un fleuve, alourdissant mes membres. La nébuleuse ignée me touchait presque.

Ma main se déplaçait, engluée, lente. Mes doigts se fermèrent paresseusement sur la crosse du brûleur.

Je tirai au cœur de la roue tournoyante. Elle explosa, me libérant.

Je ne sus jamais ce que j'avais tué. Je trouvais une patte articulée, presque aussi longue que mon bras, et des fragments de chitine. Le souvenir de vibrations affolantes restait dans mon corps. Je n'avais jamais rien ressenti de pareil. J'étais vidé.

Un insecte télépathe qui avait trouvé le moyen de titiller directement dans le cerveau de ses victimes le centre du plaisir. Le piège hypnotique des couleurs rendait la proie réceptive, et la violence de ses sensations la livrait sans défense.

Jolie réussite. Dernière Chance ignorait certainement encore quel trésor potentiel elle possédait. Je la voyais très bien élevant l'insecte, et le livrant encagé aux amateurs. Un florissant commerce en perspective. Voire... Pas exactement un chien de salon, la bestiole. Difficile de trouver mieux, dans le domaine stimulation sexuelle, mais difficile aussi de concevoir prédateur plus dangereux. Encagé ou non, je n'aurais pas aimé l'avoir pour voisin.

Huitième jour. J'étais crevé et je puais. Mes vêtements, raides de sueur séchée, se délavaient de traînées blanchâtres, et le cuir de mes bottes se pétrifiait. Les courroies du sac avaient fait pousser des cals sur mes épaules. Il était bien allégé, pourtant. L'eau baissait dans le bidon, et les biscuits diminuaient. Une charge et demie dans le brûleur, que j'espérais bien conserver le plus longtemps possible.

Les troncs bleus, immuables, glissaient dans la lumière, vernis de laque indigo. J'aurais bien voulu savoir où j'en étais. Le pisteur, s'il m'indiquait la bonne direction, ne me renseignait pas sur le chemin parcouru.

A l'occasion, je croisais un abreuvoir. Une coupe métallique, enterrée jusqu'au bord dans l'humus, percée d'un trou central par où arrivait l'eau souterraine. Une eau brunie, sédimenteuse et bien peu appétissante. Elle me tentait pourtant. Celle de mon bidon se comptait en gorgées.

Un grain de blé me barrait le chemin. Enorme, intensément bleu, creusé d'une dépression. Un grouillement confus d'oiseaux à gros becs se disputait la provende. Ils étaient brun-roux, un peu plus gros que des pigeons, et leurs plumes, longues et frisées, leur donnaient une allure échevelée de chrysanthème. Ils s'envolèrent dans un criaillement de protestations aigres. De nouveau, je perçus des sentiments à l'état brut. *Crainte, colère, frustration.* J'étais plus gros, et j'allais évidemment m'emparer du repas.

Je contournai le grain et m'éloignai. Les symboles primaires exprimèrent de la satisfaction, avec une notion de triomphe : leurs cris m'avaient effrayé, et je cédais la place. D'évidence, la mutation jouait aussi dans le domaine des facultés psi. Curieux. Somme toute, Jaume avait raison. L'expérimentation sur être humain pourrait se révéler très intéressante.

La période diurne touchait à sa fin et j'en étais heureux. Les deux dernières heures, j'avais marché dans un état de somnambulisme. Une extrême lassitude diluait mes pensées. Je cherchai machinalement, par habitude, un arbre assez haut, et comportant une balle vidée de son grain.

Je taillai mes marches, montai et m'installai dans la balle avec un soupir d'aise. Je me dégageai du sac, le fourrai sous ma tête, et m'endormis d'un coup.

Des douleurs aiguës me réveillèrent. Une poignée de fléchettes s'accrochaient dans ma chair. Je me débattis, les yeux écarquillés dans un noir de poix. Ma main heurta une masse molle, et mes doigts se refermèrent sur quelque chose qui s'écrasa en purée gluante. J'entendais un bruit sourd de battements mouillés. Je tirai vivement le brûleur. Une demi-charge, pour voir, et détruire si possible ce qui m'attaquait.

Le mince rayon pourpre troua la nuit. Il révéla un grouillement d'ailes grises ocellées de bleu, de corps veloutés, d'yeux en demi-sphères phosphorescentes.

Des papillons de nuit, aussi gros que des moineaux. Leurs trompes déroulées se balançaient. Les larges ailes décorées battaient avec un bruit mou.

Je balayai le nuage en y dessinant des entrelacs. La demi-charge suffit.

Mon corps me faisait mal en une vingtaine d'endroits. J'avais été passablement piqué. Les avertissements de Jaume me revinrent en mémoire et m'assombrirent grandement. Contaminé ou pas ? Impossible de savoir. Bien forcé d'accepter la chose et d'attendre les résultats. Je me recouchai et tentai de me rendormir. Mais le sommeil me fuyait. J'étais tourmenté par une inquiétude taraudante. Leurs lancettes avaient pénétré directement dans mes veines, pour pomper le sang. S'il y avait un risque de contamination, j'avais toutes les chances d'en découvrir promptement les effets.

Je finis par plonger dans un sommeil épais, noir et sans rêves.

J'étais malade. Très malade.

J'en avais vaguement conscience durant de brèves périodes de lucidité. Mon esprit s'affolait, se heurtant aux murs d'une prison. Pas de secours. Rien.

Je baignais dans une lumière bleue torturante. Un martèlement démentiel me défonçait le crâne. Je brûlais, couché sur un gril. J'avais soif à en crever. Je savais qu'il existait de l'eau, quelque part, tout près, et j'étais incapable de l'atteindre. Je gémissais de détresse. Ma langue était une masse pâteuse, un bâillon qui m'étouffait, et mon gosier enflé un bloc de chair à vif. Je vomissais mes entrailles, dans des efforts torturants, sans cracher autre chose qu'un peu de bile. Je me noyais, je refaisais surface, grelottant, et claquant des dents. J'émergeais de cauchemars, en essayant vainement de crier. Je jappais faiblement, comme un chiot jeté au fond d'un puits. Je repartais dans le néant. Des poussées de douleur suraiguë me ranimaient, puis je plongeais de nouveau.

Vint un grand tourbillon noir qui me frôla, m'encercla, se fondit en un nuage soyeux et sombre, très apaisant et je m'y abandonnai.

Je me réveillai dans la nuit. J'étais trempé et ma joue adhérait à quelque chose de collant. Mon gosier et ma langue semblaient moins enflés. J'avais terriblement soif et j'essayai d'attraper mon sac. Ebauche de geste que je ne pus achever. Je n'avais plus mal et je ne brûlais plus mais je ressentais une infinie lassitude.

Je me repliai en chien de fusil et je me rendormis.

Le soleil frappait la balle, réverbérant un étincellement de bleu. Je me retournai. Ma joue collée s'arracha du sac. Sensation d'inconfort. Mes vêtements étaient mouillés d'une sueur âcre. J'avais le menton, le cou et l'épaule plâtrés de bile sèche. Mon corps était marqué de boursouflures oblongues, violacées, douloureuses au toucher.

Je me sentais aussi faiblard qu'un petit chat malade. La soif me rongeait et j'ouvris le sac avec des gestes mous et maladroits. L'eau tiède me parut exquise ; elle adoucit un peu ma gorge de carton. Je dus me contraindre pour ne pas vider le bidon.

Ma montre m'apprit que le neuvième jour avait bien avancé dans sa période de clarté. Il restait environ quatre heures de lumière.

Premier point : j'avais perdu beaucoup de temps. Deuxième point : j'avais survécu à la maladie, mais quel serait le résultat final ? Modification cellulaire ou pas ? Je ne tenais pas du tout à devenir le premier sujet d'expérience. D'abord, rejoindre le sas, si possible. Ensuite, si j'y arrivais, leur taire l'incident. Si je le mentionnais, ils me mettraient en observation en se frottant les mains. Pas nécessaire. Je pouvais aussi bien attendre la suite des événements sans leur concours. Il serait toujours temps de tirer le signal d'alarme si nécessaire.

Le fait d'être à peu près guéri me rendait optimiste, sans beaucoup de logique. Restait à survivre au reste. Je n'avais plus qu'une charge, très peu d'eau et très peu de vivres, et je n'étais pas exactement dans une forme éblouissante.

CHAPITRE XI

— Je suis arrivé à ce sas, dis-je, pratiquement à quatre pattes. Je ne sais même pas ce qui m'avait amené jusque-là, mis à part une dose d'entêtement considérable. Mon brûleur était vide, mes vivres épuisés et je ne te parle pas de l'eau. Je délirais de soif.

Je venais de retrouver Carmel. Nous étions, l'un et l'autre, encore étonnés d'avoir survécu.

Nous occupions de nouveau une chambre à l'hôtel d'accueil. Nous en disposerions durant quelques jours, jusqu'à ce que les cartes qui feraient de nous des citoyens à part entière de Dernière Chance nous soient délivrées. Mais, cette fois, la porte restait libre. Plus d'emprisonnement.

— Moi, dit Carmel, la jungle bleue, j'ai trouvé ça plutôt facile. Presque pas d'embêtements. Je n'en dirais pas autant des deux autres tests. Pour le premier, j'ai eu des cérèles. Tu connais cet aspect dégueulasse qu'elles ont. Des morceaux de cervelle, avec des pattes. Rien que de les voir, ça te flanque déjà la chair de poule. Quand tu te dis en plus qu'une seule morsure t'expédiera en cinq minutes... Ils m'avaient bouclé dans une pièce, et attaché à la muraille par une chaîne qui passait autour de ma taille. Une chaîne assez courte. Elle ne me permettait pas de m'éloigner beaucoup. Juste à côté de moi, au ras du sol, le mur était percé. Les cérèles entraient par ce trou. Tantôt il en venait une, tantôt six ou sept à la fois. A intervalles irréguliers. J'étais à poil, mais j'avais des gants de plastique. Je surveillais ce trou comme un foutu chat qui guette une souris. Quand elles arrivaient, je les écrasais. Ça faisait une sale bouillie gluante qui puait. Ça a duré des siècles. Quand elles arrivaient à plusieurs, il fallait faire vite. Bougrement vite. Je crevais de faim et de soif, et j'aurais vendu mon âme pour une heure de sommeil. Pas question de dormir, tu penses. Pas même de somnoler. Vers la fin, j'en devenais dingue. J'avais des hallucinations. Je croyais en voir, et je cognais des deux poings sur rien du tout. J'en ai encore des cauchemars.

— Moi, dis-je, c'est le puits qui me flanque encore des cauchemars.

Carmel soupira et vida son verre. Je terminai le mien. L'alcool avait un goût délicieux. Repos bien gagné.

— Et ton deuxième test ? demandai-je.

— Ne m'en parle pas ! Une physalie des mers de Jubal. Tu connais ?

— Une vision de beauté, toute en voiles transparents verts et bleus ?

— Oui. Et dix mètres d'envergure, et des tentacules, et ces voiles jolis secrètent de l'acide. Celle que j'ai rencontré avait faim.

110

Belle, très belle, même, mais j'avais plutôt tendance à la voir en symbole de mort. Elle nageait dans un bassin géant. Très joli aussi. De l'eau de mer limpide, des algues, des coraux et des petits poissons multicolores. Je suis descendu là-dedans avec un masque et une machette. Avant d'avoir ta belle sirène, j'y ai laissé la moitié de mon épiderme.

— Ça ne se voit plus.

— Oh! ils m'ont très bien retapé! Très vite. Trop vite. J'aurais bien paressé un jour ou deux de plus.

Il remplit nos verres, sirota quelques gorgées.

— Tout de même, Garral, c'est embêtant que tu te sois fait piquer par ces bestioles. A ta place, je crois que je leur en aurais parlé.

— C'est ça! Pour qu'ils me bouclent. J'ai l'intention de profiter de ma liberté, figure-toi.

— Tu n'as pas eu d'ennuis, depuis?

— Aucun. Si mes cellules sont en train de se transformer, je ne m'en aperçois pas. De toute façon, qu'est-ce qu'ils auraient pu y faire? Ils ne savent encore rien là-dessus.

— Evidemment... Tu as peut-être raison. N'en parlons plus.

Il ne paraissait pas très convaincu. Je ne l'étais pas autant moi-même que je voulais bien le faire croire. Mais, pour le moment, tout semblait aller très bien.

— Je commence à avoir la fringale, dit Carmel. Qu'est-ce que tu penserais d'une petite virée? Un bon gueuleton, beaucoup d'alcool, et une paire de nanas pour terminer la soirée?

111

— Tout à fait mon programme.

Nous reçûmes nos cartes et nous nous installâmes dans une vie d'hommes libres.

Je vendis les statuettes. Pour la moitié de leur valeur, bien sûr. Comme elles ne m'avaient rien coûté, je n'en fis pas une maladie. La somme rondelette que j'empochai me contenta. Elle nous permettrait de voir venir, en attendant de trouver du travail.

Je louai un appartement que nous partagerions. Sans prétention, mais confortable, et assez vaste pour que nous ne soyons pas l'un sur l'autre. Sur les fausses fenêtres, des paysages d'illusion s'inscrivaient.

Nous aurions aimé pouvoir faire retirer le vadium de nos nerfs. Nous n'étions pas assez riches pour ça. Une opération de cette importance serait très coûteuse. Les chirurgiens de Dernière Chance n'étaient pas exactement des philanthropes.

Nous en discutâmes un soir, en dînant.

— C'est tout de même empoisonnant, dis-je. Suppose qu'un envoyé des MA s'amène ici avec tout un lot de boîtes ? Et qu'il s'amuse à les actionner ? C'est exactement le genre d'idée vicieuse qui pourrait venir à Farquart. Tous les ATOF qui ont réussi à s'en tirer sont ici. Où auraient-ils pu aller ?

Carmel avala paisiblement une bouchée de viande, posa sa fourchette.

— Il ne pourrait pas passer le contrôle sans que les boîtes soient découvertes. Je ne crois

112

pas qu'Anton serait d'accord. Il tient beaucoup à la réputation de Dernière Chance. Les ATOF qui sont ici ont passé les tests.

— Exact. Anton tient à la réputation de sa planète, et il est puissant. Seulement, Farquart l'est plus que lui. Anton servira toujours ses propres intérêts. Il ne fera pas la guerre pour nous.

— Evidemment pas. Mais je crois que tu exagères notre importance. Farquart est un salaud rancunier, je te l'accorde, mais il ne va pas lancer un ultimatum pour avoir une poignée d'ATOF en fuite. Il doit s'en foutre éperdument.

Ses arguments étaient valables, et je les admis. Il me restait tout de même une crainte vague. J'avais du mal à oublier à quel point le vadium me rendait vulnérable. Je réfléchis. En vendant le navire, j'en tirerais sans doute une somme suffisante pour envisager l'opération. Je n'avais pas envie de le faire. Un vaisseau spatial, c'est aussi une possibilité d'évasion. Tant que je l'aurais, je ne serais pas cloué sur la planète. Je décidai d'attendre et de voir venir.

— Ce que nous pouvons envisager, dis-je, en attendant mieux, c'est une greffe qui effacera ce A sur nos fronts.

Carmel frotta machinalement le A écarlate.

— Bah! depuis que je suis ici, il ne me gêne plus. Nous ferions mieux d'attendre d'avoir dégoté du boulot.

Il avait parfaitement raison. La vente des statuettes ne nous avait tout de même pas rendus richissimes. Et la vie, sur Dernière Chance, était coûteuse.

*
**

Carmel trouva du travail dans un labo de recherches. La firme qui l'engagea fabriquait des spécialités pharmaceutiques. Elle payait bien ses employés.

Ce fut plus difficile pour moi. Je cherchai vainement, pour découvrir que les pilotes, sur Dernière Chance, appartenaient presque tous à l'Armée. Je n'avais pas la moindre envie de m'engager dans les troupes d'Anton, et je trouvai une solution en décidant de transformer mon navire en taxi.

Je déposai une demande de licence, et versai une somme rondelette à une société de transporteurs pour qu'elle m'inscrive sur ses listes. Moyennant un petit pourcentage, elle me procurerait des clients.

En attendant que les formalités viennent à conclusion, je jouai les touristes et visitai une partie du monde que j'habitais. Monde creux, de tunnels et de cavernes. Les plus grandes abritaient des lacs et des forêts ; les plus petites étaient réservées aux cultures et à l'élevage. Les habitations se rangeaient côte à côte, au long des souterrains, comme des pois dans une cosse.

Je retrouvais Carmel le soir, et, à l'occasion, nous visitions les lieux de plaisir. Fantastique ! Je commençais à comprendre les raisons de l'afflux des touristes. Même en fouillant toute la Galaxie, impossible de trouver mieux. Un paradis pour hédonistes. Anton savait y faire. D'autant plus que ces distractions coûtaient une fortune.

*

Nous venions de finir de dîner. Repas rapide, venu des cuisines collectives du bloc que nous habitions. La nourriture était correcte.

Carmel bâilla, annonça qu'il était crevé, puis me regarda fixement.

— Dis donc, Garral, tu as vu ton front ? On dirait que ton A est en train de pâlir.

J'y passai mes doigts. Idiot. Il n'y avait rien à sentir. Je gagnai la salle de bains pour m'examiner dans la glace.

Effectivement, il y avait quelque chose de bizarre. Le A virait au rose et ses contours s'estompaient.

— Ça alors !

Je revis un nuage mouvant d'ailes grises ocellées de bleu, et je frissonnai.

— Une maladie de peau ? Une séquelle de ces piqûres ?

Carmel scruta mon front, centimètre par centimètre.

— Non. La peau est saine. Aucune lésion. Mais ce A change de couleur, c'est indéniable. Tu te sens bien ?

— Très bien. En pleine forme.

— Il serait peut-être temps que tu ailles leur faire ta confession, Garral. C'est tout de même très bizarre. Ton A se décolore. Pour quelle raison ?

Je réfléchis un moment.

— Non. Je n'y vais pas. Du moins, pas tout de suite. S'ils me mettent en observation, ça peut durer jusqu'à la saint-glinglin. Je ne me sens absolument pas malade. Ce A se décolore. Bon. C'est anormal, mais ce n'est pas un symptôme affolant. Je peux attendre et voir comment ça va évoluer.

— A ta guise, Garral. C'est toi qui es en cause.

Il n'exprimait pas sa désapprobation, mais je la devinais sans peine.

Je m'endormis difficilement. J'étais tout de même inquiet.

Trois jours plus tard, à mon réveil, je découvris dans la glace mon front totalement net. Plus de A. Une greffe parfaitement réussie ne l'aurait pas mieux effacé.

Je regardais, incrédule, les yeux écarquillés, cette zone de peau, blanche, lisse, sans une marque. J'ouvrais la bouche, comme un idiot qui bave de surprise. Impossible ! Des choses pareilles n'arrivent pas. A personne.

Carmel avait ses deux jours de repos hebdomadaire, et nous avions fait, la veille, une petite java. Il dormait encore.

J'entrai dans sa chambre comme une bombe et l'explosion le réveilla. Il grogna, s'assit et frotta ses yeux.

— Qu'est-ce qui te prend ? Bon Dieu ! tu as besoin de me réveiller comme ça ? Qu'est-ce qu'il y a de si urgent ?

— Regarde mon front ! Mais regarde !

Ce qu'il vit le fit sortir de son lit plus vite que si ses draps avaient été en feu.

— C'est pas vrai !

Ça l'était. Nous discutâmes ce miracle durant deux heures. En tournant en rond. Rien de cohérent ne pouvait expliquer le phénomène.

— Tu t'entêtes à ne pas vouloir demander un avis médical ?

— Maintenant moins que jamais. Si j'y vais, ils ne me lâcheront pas avant des années. Et je me sens toujours en parfaite santé. Que ce A ait disparu, c'est complètement dingue, mais ce n'est pas mauvais pour moi. Ce serait plutôt bénéfique, au contraire.

— Très bien, Garral. Tu vas m'accompagner au labo. Je ne suis pas biologiste, mais il y a tout de même une chose ou deux que je peux contrôler. J'ai l'intention d'examiner tes cellules. Ne dis pas non, ou je t'y traîne de force !

— Pas la peine d'être si menaçant. Je viendrai volontiers. Moi aussi, je suis curieux.

Il rit.

— Tant mieux, parce que t'amener là-bas sur mon dos aurait posé des problèmes.

En raison des expériences en cours, le laboratoire était rarement tout à fait déserté. Par prudence, nous attendîmes la pause du déjeuner pour nous y introduire. Nous désirions opérer sans témoins.

La vaste pièce débordait d'appareils complexes, d'ordinateurs, de coupelles, cornues et éprouvettes. Elle baignait dans une odeur composite, effluves acides de produits chimiques, et âcreté provenant des animaux encagés.

Carmel effectua une série de prélèvements et les examina. Très longuement. Il marmonnait ou poussait des exclamations. Il énonça le verdict :

— Tes cellules sont totalement anormales. Et je n'y comprends rien. Elles ont toutes plusieurs noyaux, même celles qui devraient n'en avoir qu'un. Par certains côtés, elles ressemblent à des cellules cancéreuses, mais rassure-toi, ce n'est pas ça non plus. Un biologiste y verrait peut-être plus clair que moi, mais j'en doute. Comme je doute que des cellules semblables aient jamais été observées chez l'homme. Tu as muté, Garral. Tu n'es plus tout à fait un être humain. Quant à te dire où te conduira cette mutation, j'en suis bien incapable. Je ne te conseille même plus d'aller tout leur avouer. À mon avis, c'est inutile. Aucun traitement ne rendra jamais à tes cellules leur aspect initial.

Je ne trouvai rien à lui dire. Je me sentais étranger. Etranger à la race, étranger à moi-même. Un mutant. Curieuse expérience. Ce que je ressentais ne pouvait pas être traduit en mots.

— Continuons, Garral. Je voudrais regarder ce qui se passe à l'intérieur de ton corps.

Il me fit allonger sur une table d'examen et abaissa sur moi un appareil mobile. L'appareil se déplaça lentement. Sauf pour me demander de modifier ma position, Carmel n'exprima rien. Il ne se décida à parler qu'après m'avoir scruté sur toutes les coutures.

— A première vue, tout est normal. Sauf sur un point. Garral, il ne reste plus un milligramme de vadium dans ton réseau sensoriel. Pas une trace. Je ne peux pas te dire ce que tu en as fait, mais il n'y est plus. Il a disparu, tout comme le A qui marquait ton front. C'est totalement aberrant !

La nouvelle ne me surprenait plus. Mes capacités d'étonnement s'étaient émoussées. Un mutant. Pour le meilleur ? Pour le pire ? Je n'en savais rien. Mais, bon gré, mal gré, il allait bien falloir que je m'y fasse.

Je regardais mon poignet, moins stupéfait que je n'aurais pu l'être. Je m'habituais, je pense, à cette idée d'avoir des cellules différentes. Et qui me servaient bien. Elles venaient de prouver, une nouvelle fois, leur efficacité.

Dix minutes plus tôt, j'avais entaillé mon poignet avec une lame aiguisée. Il ne restait plus trace de la coupure. Pas même une croûte. La chair était saine, aussi nette qu'avant d'avoir été touchée. Ça s'était fait en dehors de moi, sans que j'exerce aucun contrôle conscient.

— Eh bien, voilà, dit Carmel. Nous avions vu juste. Tes cellules réparent les dommages. Elles ont refermé cette coupure, aussi vite que possible. Je ne crois pas que tu aies perdu plus d'une goutte de sang. C'est fantastique !

— Moins fantastique que d'avoir retiré le vadium de mes nerfs, et effacé le A.

— Mais non. Ça fait partie du même processus. Même si tu n'y pensais pas en permanence, le vadium et le A te gênaient, au niveau du subconscient. Tes cellules ont réglé le problème.

L'idée de faire une expérience nous était venue après une longue discussion.

— Je me demande, dit Carmel, si tu pourrais réparer de la même façon une blessure grave ?

La petite lueur du fanatisme qui habite tout chercheur s'allumait dans ses yeux.

— Doucement, dis-je. Je ne vais pas me couper un bras pour que tu aies une chance de savoir s'il peut repousser.

— Mais tu ne comprends pas, Garral ! Ce qui t'arrive, c'est quelque chose d'énorme ! Quantité de types donneraient vingt ans de leur vie pour pouvoir te mettre en observation.

— Je n'en doute pas. Mais il y a aussi mon point de vue sur la question, si tu permets.

Il rit.

— D'accord. Je suis un fils de salaud qui rêve de te découper en rondelles. Bon. On se contentera de petits trucs. Essayons avec ça.

Il fouilla sa poche et brandit son briquet.

— Hé ! Mollo !

— Oh ! merde, Garral ! Tu ne vas pas jouer les petites filles douillettes. Mets ton pouce sur la flamme, juste un instant.

La trace de brûlure disparut en très peu de temps. Je n'avais pas senti grand-chose, et aucune cloque ne s'était formée.

— Oh ! bon Dieu ! Bon Dieu de bon Dieu !

Carmel vibrait d'excitation.

— Tu te rends compte ! Tu te rends compte que tu es peut-être invulnérable ! Je...

— Ça va comme ça, Carmel. Si je te laisse faire, dans cinq minutes tu vas vouloir m'écorcher vif.

— J'aimerais bien.

Il ne plaisantait pas du tout.

— Je me demande même si on peut te tuer ?

CHAPITRE XII

Je reçus ma licence et j'embarquai immédiatement un groupe de trois voyageurs à destination d'Alphan.

Je ne crois pas que j'avais réellement assimilé ce qui m'arrivait. Carmel non plus, et nous en avions discuté interminablement. Mais il fallait vivre et le quotidien nous reprenait.

Je débarquai mes passagers au cosmoport de Cygne. Un voyage sans histoires, paisible et routinier.

Je me rendis tout de suite au bureau de la société de transporteurs qui me comptait parmi ses adhérents. J'y appris avec plaisir qu'un couple désirait se rendre au plus tôt sur Dernière Chance. Comme le voyage de retour m'avait déjà été réglé forfaitairement, j'avais tout à y gagner, et je promis de les embarquer le soir même.

Je quittai le bureau pour gagner un restaurant. L'heure du déjeuner était passé depuis longtemps et mon estomac protestait.

Pendant que je mangeais, j'eus l'occasion d'entendre les nouvelles, pour la première fois depuis une bonne quinzaine. Dans l'espace 2, il n'existe pas de possibilités de communications.

L'écran TV occupait une bonne partie d'un mur. Je n'écoutais qu'assez distraitement la voix d'un commentateur à visage lunaire, qui disséquait l'actualité. Il commença à parler de Terra, et la bouchée que je mâchais prit un sale goût.

Les nouvelles en provenance de ma planète n'étaient pas gaies. Mes compatriotes n'appréciaient pas l'occupation de leur territoire. Des actes de résistance se multipliaient, et l'Armée MA ripostait par des représailles. Rafles, prises d'otages, exécutions. Bon nombre de Terriens se voyaient condamnés au A sur le front et des femmes commençaient à être offertes sur le marché des androïdes. Mel Farquart venait d'abaisser à seize ans l'âge à partir duquel il devenait normal d'avoir du vadium inséré dans les nerfs.

Les images étaient pires que le commentaire.

Je repoussai mon assiette. Je n'avais plus faim. Je luttais contre une vague de colère.

Le commentateur était passé à un autre sujet et je ne l'écoutais plus. Je parcourus la salle des yeux, machinalement. Peu de clients. C'était l'heure creuse. A deux tables de moi, une jeune femme blonde dévorait avec appétit une salade multicolore. Assez jolie fille. Des yeux gris-bleu, un petit nez parfait mais une bouche un peu trop mince, du moins pour mon goût.

Je croisai son regard, une seconde, et, brusquement, j'entrai dans sa tête et ses pensées me pénétrèrent d'un flot continu :

Beau garçon — En colère — Les nouvelles de Terra ne lui ont pas plu — Un Terrien ? — Farquart — Un salaud — Séduisant ? — Est-ce que j'aimerai faire l'amour avec lui ? — Posséder un ATOF — Tenir la boîte — Faire mal ? — Non — Je ne pourrais pas — C'est malpropre — La salade est bonne — Mais pas assez de piments — Réclamer ma robe bleue à Jil — Cette punaise — Elle passe sa vie à emprunter — Dans le fond, je ne l'aime pas tellement.

Cela continuait. Un déferlement confus, emmêlé, accompagné des sensations, souvenir du plaisir pris à l'acte d'amour, répugnance à faire souffrir, saveur de la salade, tout se déversait. Cette fille m'était livrée, totalement, et je la découvrais, bien plus profondément que si je l'avais connue depuis toujours.

Cette plongée dans un être qui ignorait mon intrusion me gêna. Et, sans l'avoir voulu, j'établis un écran. Le contact fut coupé, aussi nettement que si j'avais appuyé sur un bouton.

Je restais suffoqué, l'esprit bouillonnant. Un nouveau pas, sur le chemin de la mutation ? La faune de la jungle bleue avait souvent démontré des facultés télépathiques.

Par curiosité, j'essayai de rétablir le contact avec la fille. Au début, je n'y parvins pas, puis, après quelques tâtonnements, je la captai de nouveau.

Le flot confus des pensées et des sensations me pénétra. Elle se souvenait de son enfance, d'un garçon avec qui elle jouait, d'un autre qui lui avait appris l'amour, d'une tante désagréa-

124

ble, d'un petit chat, d'un paysage, d'une fille qui...

Je coupai. Pour essayer de réfléchir calmement. Mes cellules mutantes me faisaient-elles cadeau d'un pouvoir supplémentaire ? Etais-je réellement devenu télépathe ?

En face de moi, un homme âgé avalait de la soupe, cuillère par cuillère, les sourcils froncés. J'essayai de me brancher sur lui. J'y réussis du premier coup.

Voudrait qu'on rende visite à Lera — C'est bien trop loin — Ça coûterait beaucoup trop — Elle croit que l'argent pousse dans mes poches — Garce — J'aurais dû la lâcher il y a longtemps — A présent, c'est trop tard — Trop tard — Trop tard !

En même temps que ses pensées, me parvenait sa lassitude et son dégoût. C'était pénible. Je coupai. Je n'avais nulle réelle conscience de la démarche de l'esprit qui établissait ou fermait le contact, pas plus que je n'aurais eu claire conscience d'ordonner à mes paupières de battre. Mais ça fonctionnait.

Je poursuivis mes expériences, comme un gosse excité qui découvre un nouveau jouet. Une bonne partie des gens présents y passèrent, puis je me lassai.

J'apprenais que les pensées intimes des humains sont rarement passionnantes. Dans la majorité des cas, elles révélaient du médiocre et de la laideur. Encore heureux que je puisse établir ou fermer le contact à ma guise. Capter en permanence m'aurait conduit à la folie.

Je quittai le restaurant pour retourner à mon navire. Je marchais comme un somnambule et je m'égarai deux fois dans les méandres du cosmoport.

Je calculais et additionnais quantité de deux et deux. Ça ne faisait pas toujours quatre, et encore moins huit ou seize, mais ça pourrait le faire. Peut-être... Si je pouvais convaincre Carmel... Si... Si...

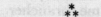

Mes clients ne me plaisaient pas.

Je n'avais capté la fille qu'une fois, et coupé précipitamment le contact, avant d'être noyé dans un flot de mesquineries. J'imaginais que l'esprit de Marri avait dû ressembler pas mal à celui-là. Egoïsme forcené et pas plus d'un milligramme de matière cérébrale utilisable. Le petit pois gravitant dans un grand vide. S'y ajoutait une bonne dose de méchanceté agissante. Le genre qui aime arracher les ailes aux mouches, histoire de tuer le temps. Assez jeune et plutôt jolie, si l'on aime les grands yeux noirs en forme de caisse enregistreuse. Ceux qui font « tilt » lorsqu'un billet de banque circule à proximité.

L'homme qui l'accompagnait me plaisait encore moins. Pour d'autres raisons. Il pataugeait dans des soucis d'argent et dans son amour pour la fille. Il aimait cette jolie garce avide. Sincèrement et profondément. Une pitié ! Mais ce n'était pas ce qui m'ennuyait. Il y avait quelque chose, dans son esprit. Quelque chose de bizarre, qu'il cachait soigneusement, et surtout à lui-même. Durant une fraction de seconde, j'avais frôlé une tache de noirceur, inidentifiable, mais qui m'avait grandement effrayé. Mon pouvoir télépathique était trop neuf pour que j'en aie la pleine maîtrise. J'avais été incapable de découvrir ce qu'il dissimulait si bien dans son subconscient.

Un traitement antisénescence lui avait laissé l'apparence de la cinquantaine. En fait, il approchait de ses quatre-vingt-dix ans. Il était petit, un soupçon trop rond, et regardait le monde avec des yeux bleus à fleur de tête. Il s'appelait Raynal Rosso.

Comme je l'avais prévu, la belle Erthya commença à s'ennuyer ferme dès que nous fûmes dans l'espace 2. Y naviguer, ce n'est jamais bien passionnant, et mon petit vaisseau n'offrait aucune des distractions que les grandes compagnies proposent à leurs passagers. Elle commença à geindre et récriminer, reprochant à Rosso de n'avoir pas choisi de voyager sur un navire de ligne. Il ne lui fit pas remarquer que ce choix venait d'elle et non de lui. Il connaissait à fond l'inutilité d'arguments logiques.

En apparence, il paraissait bien supporter les jérémiades, mais je devinais sa tension. Je le sondai. La tache noire me frôla. Il me sembla qu'elle se développait. J'étais inquiet.

Pour faire passer le temps, Erthya décida de me séduire. Il n'existe aucune possibilité d'intimité dans un petit vaisseau et elle m'empoisonna suffisamment l'existence pour que je l'envoie promener très sec. Même si je l'avais trouvée extrêmement désirable — ce qui n'était pas le cas — je ne l'aurais pas touchée. Mélanger les affaires et le plaisir revient à se chercher des ennuis. De plus, il y avait Rosso. Je ne voyais pas la nécessité d'ajouter à ses misères.

La punaise m'en voulut et imagina une vengeance. Comme je ne la sondais jamais, je ne sus rien du petit plan qu'elle mijotait.

Et Rosso arriva sur moi en brandissant un brûleur.

Une arme dans un vaisseau spatial, c'est pire que le classique éléphant lâché dans un magasin de porcelaine. Il y a beaucoup trop d'instruments très fragiles dont dépend la sécurité du navire. S'il tirait, il mettrait en danger sa propre vie et celle de la fille, et non seulement la mienne.

Je tentai de lui parler raison, avec calme. En pure perte. Il écumait et ses yeux jaillissaient de leurs orbites. Son expression m'effraya plus que l'arme qu'il agitait en hurlant des injures.

Je le sondai. Le temps d'un battement de paupières. Et me retirai, avec une hâte frénétique. J'étais entré dans un maelström de démence. La tache noire avait envahi son esprit, et le mangeait. Ce qu'il cachait si bien, c'était les premières atteintes d'une maladie mentale. La crise avait éclaté, le précipitant dans la folie furieuse. Mon propre esprit avait vacillé sous le choc de l'insanité. Un instant, j'avais craint de ne pouvoir rompre le contact, et d'être irrémédiablement entraîné. J'en avais encore la chair de poule.

La belle Erthya regardait, les lèvres entrouvertes. Elle ne réalisait absolument pas qu'elle-même était aussi en danger.

Personnellement, je paniquais quelque peu. Comment arrêter ce dément ?

Il n'agitait plus son arme, et ne hurlait plus. Je vis l'acte s'inscrire dans ses yeux saillants avant que l'ordre ne parvienne à sa main.

Je me ramassai pour lui sauter dessus. Perdu pour perdu...

Son corps trapu s'effaça. Apparut à la place un réseau de clarté. Une toile d'araignée scintillante, parcourue d'étincelles, qui dessinait un tronc, des membres, une tête vaguement ronde. Les étincelles fusaient, parcourant les lignes de clarté.

Et je sus, avec une absolue certitude, que si j'en bloquais mentalement une grosse poignée ici, à l'endroit figurant la nuque, je l'immobiliserai.

Mon esprit agit avant que j'aie seulement conscience de lui en donner l'ordre.

Le réseau de lumière avait disparu. Rosso était statufié. Son bras tendu braquait toujours le brûleur. Ses yeux étaient fixes. Il vivait, mais paraissait transformé en minéral. Je ne pus retirer l'arme de ses doigts pétrifiés.

J'essayai d'émerger de l'état de quasi-hébétude où me plongeaient le soulagement et la stupéfaction. Comment diable avais-je réussi ce nouveau tour ? Incroyable !

Erthya criait :

— Mais qu'est-ce qu'il a ? Qu'est-ce que vous avez fait ? Salaud ! C'est votre faute !

Je la sondai. Sentiments agités. *Colère, stupeur, crainte, frustration.* Elle avait espéré que

Rosso me tuerait. Hormis le fait qu'un brûleur lâchant sa charge dans un vaisseau spatial pourrait la mettre en danger, elle avait tout prévu. Mon décès n'aurait pas occasionné beaucoup d'ennuis. Dans l'espace 2, le navire obéit à l'autopilote. Il était programmé pour parvenir à proximité de Dernière Chance, et émerger dans l'espace 1. En l'absence de quelqu'un qui prenne à ce moment-là les commandes, le vaisseau se serait tout simplement placé de lui-même en orbite. Il ne restait plus à la belle qu'à enclencher la touche du transmetteur pour appeler à l'aide. Même un enfant aurait pu faire ça. Je n'étais pas indispensable. Le sort de Rosso ne l'avait pas préoccupée davantage. Qu'on l'expédie dans une prison rééducative pour meurtre ne l'aurait pas empêchée de dormir. Il arrivait au terme de sa fortune et elle trouvait le moyen excellent pour s'en débarrasser.

La foutue garce avait raconté à ce pauvre type que je l'avais violée. Dans la cabine de douche. Grandement vraisemblable ! Mais Rosso était un malade mental. Je voyais, comme sur un écran, la comédie qu'elle avait jouée : honte, hésitation à avouer, phrases hachées, larmes, puis sanglots désespérés. Rosso l'aimait. Aveuglément. Le choc ressenti l'avait projeté d'un état de démence larvée dans la folie furieuse.

La garce criaillait toujours. Je vis rouge et je lui allongeai la plus belle paire de claques de toute son existence. Il n'aurait pas fallu me pousser beaucoup pour que je l'étrangle.

Les gifles la rendirent un instant muette,

puis elle réagit comme une chatte furieuse et ses ongles tentèrent de me crever les yeux.

De nouveau, un réseau lumineux apparut. Et je l'immobilisai, comme j'avais immobilisé Rosso.

Et j'étais là, stupide, avec deux statues de sel plantées au milieu du navire. Deux statues très laides. La rage déformait le visage d'Erthya, lui retroussant les lèvres sur les dents. Elle avait une longue mâchoire, et ressemblait à une jument vicieuse. Le masque de démence fixé sur les traits de Rosso le rendait effrayant.

Je ne savais absolument pas quoi faire. Tout s'était déroulé très rapidement et pour ainsi dire en dehors de moi. J'avais agi parce que c'était indispensable, mais sans savoir comment. Mes petites cellules mutantes étaient venues à la rescousse.

Je ne voyais pas du tout comment sortir de mon pétrin. Mes deux statues vivaient. Bon, mais elles ne pouvaient pas rester ainsi jusqu'à la fin du voyage. Sans parler du problème que représenteraient les explications à fournir. Parviendrais-je à leur rendre leur mobilité ? Et si j'y arrivais ? Erthya pouvait être maîtrisée, mais que faire de Rosso ? Que faire d'un dément ? Je ne pouvais même pas retirer le brûleur de ses doigts pétrifiés. En les cassant, peut-être, mais ce n'était pas une solution.

J'analysai le phénomène. Ce réseau lumineux ? Je l'avais fait apparaître, sans aucun doute. Pouvais-je le recréer ?

J'essayai. Comme au moment de la naissance de mes facultés télépathiques, je tâtonnai un moment, puis la toile d'araignée de lumière apparut. Les étincelles la parcouraient, en une course sans fin.

Je l'étudiai. Voyons. Ceci était réseau sanguin, ceci nerfs moteurs et cela...

J'apprenais. Les étincelles qui représentaient le cerveau me fascinèrent. Très longtemps.

Je trouvai une solution à mon problème. Avant de rendre leur souplesse à mes statues, je les endormis. Profondément. En bloquant dans leur cerveau un nœud d'étincelles.

Je les transportai jusqu'à leurs couchettes. J'attachai Rosso à la sienne. Plus prudent. Je croyais savoir qu'il ne pourrait s'éveiller sans mon intervention, mais je n'avais pas de certitude. Je faisais mes premières expériences.

Je le réveillai quelques heures plus tard, en libérant les étincelles dont j'avais arrêté la course.

Sa crise furieuse était passée, mais il restait dément. Il divaguait et faisait des bulles. Je le fis manger. Pas une tâche agréable. Il recrachait la nourriture, bavait et gloussait. La corvée terminée, je le rendormis.

Je réveillai Erthya. Elle était calmée. Je lui racontai une histoire gentille. Voyons ! Elle avait rêvé ! Jamais elle n'avait vu Rosso transformé en statue. Le pauvre homme avait été pris d'une crise de démence. Pour le neutraliser, j'avais dû l'assommer. Aussi simple que cela. Elle-même s'était évanouie d'effroi. Bien compréhensible.

Je la sondai. Elle ne me croyait pas tout à

fait, mais cette version de l'histoire lui convenait. Si, au débarquement, nos récits ne concordaient pas, il y aurait des questions. J'étais citoyen de Dernière Chance. Donc, je bénéficierais d'un préjugé favorable. Il valait mieux faire cause commune.

Nous étions d'accord, et tout allait pour le mieux. Ce que je voulais éviter, moi, c'était que l'on découvre mes petits pouvoirs tout neufs.

Pour apprendre ce qui m'arrivait et les possibilités que recelait la jungle bleue, Anton aurait donné une bonne moitié de sa planète. Dommage pour lui. Il ne saurait rien.

J'avais mes propres plans.

CHAPITRE XIII

— D'accord, dit Carmel. Je le ferai.

Je lui allongeai une claque sur l'épaule.

— J'ai toujours su que tu étais un type bien, même avant de pouvoir te sonder.

— J'espère que tu ne ferais pas ça sans mon accord !

Carmel s'indignait.

— Tu sais bien que non.

Nous sortions d'une longue discussion. J'avais démontré mes nouvelles possibilités, puis j'avais exposé mes plans. En détail. Et il les avait acceptés. Nous allions passer à la première phase de l'opération. La plus importante.

Le lendemain, en prétextant des affaires personnelles à régler, Carmel obtint de son employeur une mise en disponibilité de deux semaines.

Le même jour, en début d'après-midi, nous entrions dans la jungle bleue, en compagnie d'un guide très officiel. Carmel et moi étions des entomologistes amateurs. Les papillons nous passionnaient. Tout spécialement les espèces nocturnes.

La jungle bleue n'avait pas changé, mais cette deuxième expédition était bien différente de la première. Nous disposions d'une navette, de provisions abondantes, d'un matériel remarquable, d'armes bien chargées, et le guide veillait sur nous avec une touchante sollicitude.

Les troncs indigo montaient vers la lumière. L'épi, lourd de grains, se courbait. Uniquement des plants en pleine maturité. Pas de rejets, pas de tiges sèches. Est-ce que ce blé ne mourait jamais ? Je posai la question à notre guide, qui s'appelait Raven.

— Quand nous avons ensemencé, répondit-il, les plants ont poussé avec une rapidité prodigieuse, mais, une fois parvenus à maturité, ils s'y sont fixés. Ils ne bougent plus. Pour le moment, nous n'en savons pas davantage.

Curieuse mutation, qui me laissait très rêveur. Parce qu'elle m'affectait aussi. Le blé avait interrompu son cycle. Allais-je interrompre le mien ? Etais-je devenu éternel ? Je frissonnai. Mes propres possibilités m'effrayaient un peu.

Raven me regardait, légèrement surpris.

— Quelque chose ne va pas, monsieur Saltienne ?

Je le rassurai. J'allais très bien. Tout allait très bien. Je mis la conversation sur un autre sujet.

Il bavarda avec entrain, commentant la jungle bleue en détail. Un homme dans la trentaine. Yeux, cheveux noirs, et petite moustache élégamment taillée. Il portait l'uniforme gris des troupes d'Anton. Il avait pour mission de nous protéger et s'acquittait de sa tâche avec diligence. Durant tout le séjour, il ne nous quitterait pas d'une semelle. Mais j'avais un remède à cet inconvénient. Quand il deviendrait gênant, je lui procurerais une dose d'excellent sommeil.

Il nous fallut quatre jours pour découvrir, dans la jungle du blé, une zone fréquentée par des papillons de nuit aux ailes grises ocellées de bleu. Je ne pouvais pas dire s'il s'agissait de celle que j'avais traversée, ou d'une autre. Troncs et sentiers se ressemblaient tous. Impossible d'y trouver des repères. Les papillons étaient là. Ça suffisait.

La période d'obscurité venue, tout le monde se coucha.

Je fis apparaître le réseau de Raven et je bloquai dans son cerveau les étincelles voulues. Il dormirait jusqu'à ce que j'intervienne pour les réanimer.

— On peut y aller, dis-je.

Carmel se leva, sans un mot. Nous quittâmes la tente et sortîmes du périmètre de protection anti-insectes.

Nous nous assîmes au pied d'un tronc. Des pieds à la tête, j'étais enduit d'une crème protectrice. Pas Carmel.

— Pour ne rien te cacher, dit-il, j'ai quand même un brin de trouille.

Le contraire m'aurait surpris. Il allait s'offrir à la même expérience que moi. Délibérément. Sans certitude de ne pas y laisser sa peau.

— On pourrait laisser tomber, dis-je. C'est...

— Non. Ça va beaucoup plus loin que toi et moi. Il faut essayer. Si ça marche...

La lampe posée sur le sentier faisait sortir de la nuit un tronc indigo. La tige luisante semblait revêtue de laque chinoise. J'étais nerveux, mal à l'aise. Carmel devait l'être plus que moi, même s'il n'en montrait rien. Il était assis, ses bras enserrant un genou remonté. La peau sombre de son torse nu accrochait des petits éclats de lumière. Je vis son réseau. Il me sembla pouvoir distinguer la peur que charriait son sang.

— Je pourrais t'endormir, dis-je, tu ne te rendrais compte de rien.

— Non. Je veux rester conscient.

Les papillons arrivèrent et s'abattirent sur lui. Nous les avions attendus une bonne heure.

Quand il eut récolté suffisamment de piqûres, il gesticula pour écarter les agresseurs, et je détruisis au brûleur le nuage d'ailes grises.

Nous retournâmes sous la tente. Raven y dormait, mort au monde extérieur.

Nous nous installâmes sur nos couchettes.

— Quand ça ira trop mal, dis-je, je t'endormirai.

— Je t'ai déjà dit non, Garral. Je ne suis pas un enfant. Je veux garder ma conscience. Si je dois faire le grand saut, je tiens à le savoir. Je n'aime pas cette idée de foutre le camp en plein sommeil.

Je n'insistai pas, mais je me promis tout de

même de lui épargner les phases les plus pénibles. Il n'imaginait pas encore ce qu'il allait avoir à endurer. Moi, si. Je m'en souvenais très bien.

Il fut aussi malade que je l'avais été.

Je fis ce que je pus pour le soulager. Je lui donnai à boire, par petites gorgées. Assez peu, parce que je n'osais pas trop modifier les conditions de l'expérience. Je nettoyai ses vomissures et je l'endormis chaque fois que les poussées de douleur le contraignaient à gémir.

Il passait par des phases de délire, puis revenait à des périodes brèves de lucidité.

Je surveillais son réseau. Trois ou quatre fois, je vis la toile d'araignée lumineuse faiblir, vaciller, et les étincelles ralentir leur course. J'en étais rongé d'angoisse, parce que je savais qu'à ces moments-là, la mort le frôlait. De très très près.

Il finit par plonger dans un sommeil naturel, non fiévreux, et je le sus sauvé. Son réseau brillait nettement, et le parcours fusant des étincelles s'accélérait.

Je réveillai Raven.

Carmel était debout. Pas encore bien solide sur ses jambes, mais capable d'en donner l'illusion.

Notre guide allait avoir un trou dans ses journées et je parai :

— Je ne sais pas ce qui se passe, dis-je, vous

avez dormi très longtemps. Nous étions inquiets.

— Dormi ?

— Oui. Nous n'arrivions pas à vous réveiller. Nous venions à l'instant de décider de vous ramener au sas.

Une lueur d'inquiétude apparut dans les yeux de Raven. Il connaissait les dangers de la jungle bleue.

— Vous vous sentez bien ? demandais-je.

— Très bien.

— Il vaut quand même mieux rentrer et vous faire examiner. On ne sait jamais. Un si long sommeil, et si profond... C'est bizarre. De toute façon, notre congé se termine, et nous pensions au retour.

— Si vous êtes d'accord pour retourner...

Raven avait très envie de se fourrer entre les mains de médecins compétents. Durant quelque temps, ils le retourneraient en tous sens. Sans rien découvrir, et pour cause.

Il s'éloigna pour commencer à rassembler le matériel.

— Et maintenant, dit Carmel, la suite du programme. Avec un peu de chance...

— Ça a marché !

Carmel était triomphant.

— J'ai tout contrôlé. Mes cellules sont identiques aux tiennes, et le vadium n'est plus dans mes nerfs. Mes collègues s'étonnaient de la disparition de mon A, et j'ai raconté que j'avais profité de mon congé pour faire effectuer une greffe. Ils m'ont félicité sur la qualité du travail. Il paraît qu'on ne voit vraiment rien du tout.

Nous rîmes ensemble. Carmel reprit :

— J'ai fait des expériences. Je peux guérir mes blessures, mais j'ai aussi découvert que je pouvais annihiler la douleur. Tu dois pouvoir le faire également. Nous essayerons.

Je remis mon doigt sur une flamme pour apprendre qu'en effet, je pouvais le rendre aussi insensible qu'un morceau de bois.

— Il y a sûrement d'autres possibilités, dit Carmel. On ne peut pas imaginer toutes les expériences. Je suis persuadé que nous découvrirons d'autres choses. Au hasard. D'une certaine façon, nous sommes devenus surhumains.

Ses progrès furent un peu plus rapides que les miens. Il devint très vite télépathe, puis il découvrit les réseaux. Il étudia le phénomène avec passion.

Nous apprîmes que nous pouvions converser mentalement à grande distance. La camaraderie qui nous unissait devint fraternité absolue. Je savais toujours où il se trouvait, ce qui lui arrivait, et il en était de même pour lui. Nous devînmes frères siamois, liés par le contact de l'esprit. Nous pouvions partager chacune de nos expériences, sentiments perçus, sensations ressenties.

Carmel démissionna et je cessai de véhiculer les touristes. Nous allions nous occuper de nos

140

propres affaires. Il nous restait de l'argent sur la vente des statuettes. Pour un temps, ça suffirait.

— *De toute façon, si nous manquons d'argent, on pourra faire une banque. Aussi facile que de prendre une sucette à un marmot.*

Carmel s'était exprimé mentalement, et j'avais perçu, en même temps que les pensées, l'amusement qui les teintait, plus le plan d'un braquage sans armes, les clients, gardes et employés profondément endormis.

— *Pourrions-nous bloquer une telle quantité de réseaux à la fois ? Assez rapidement ?*

— *Je pense que oui. Pas à envisager maintenant, mais ça pourrait devenir nécessaire. Pour la suite de l'opération.*

— Nous n'en sommes qu'aux préliminaires, dis-je. Ce qu'il nous faut, à présent, c'est quelques ATOF ayant encore du vadium dans les nerfs. Où les trouver ? Arrêter dans la rue tous ceux qui auront un A sur le front me paraît un procédé lent, et peu efficace.

— Certainement, mais ce ne sera pas nécessaire. J'ai entendu parler d'une association d'ATOF. Le contraire serait bien étonnant. Les gens qui ont de mauvais souvenirs en commun adorent se regrouper pour les ressasser. Renseignons-nous.

L'organisation existait bien, et nous nous rendîmes au siège, pour nous inscrire, du moins en apparence. Ce que nous voulions, c'était la liste des membres. Nous l'eûmes, en plus d'une carte d'adhérent.

Je consultai cette liste dès que nous fûmes sortis. Et je sursautai.

— Bon Dieu ! Il y en a un que je connais !
Tarri Janvier. Nous avons fait le voyage de
Terra à Talsie dans la même cellule. C'est un
type bien. Ou je me trompe fort, ou nous
tenons notre première recrue.

Carmel parcourut la liste à son tour, sans y
trouver personne de connaissance.

— *Pas d'importance*, transmis-je, *Tarri
connaîtra peut-être quelqu'un, qui connaîtra
quelqu'un. Ça fera boule de neige. Sinon, nous
assisterons aux réunions, et nous sonderons,
pour découvrir les types qui seraient susceptibles
de marcher.*

— Tu crois vraiment que ce Janvier sera
d'accord ?

Carmel s'était exprimé en paroles. Nous
avions l'habitude de ces conversations mêlées,
mi-phrases, mi-pensées.

— *Il sera d'accord. Ou alors, il aurait bien
changé. Nous essayerons de le joindre ce soir, à
une heure où nous aurons des chances de le
trouver chez lui.*

— Garral ! Ça alors ! Pour une surprise... Si
je m'attendais à voir ta tête !

Tarri me bourrait de coups de poing secs.
Son visage simiesque grimaçait de plaisir. Il
ouvrit plus largement sa porte.

— Mais entre, bon Dieu ! Entre. Ton copain
aussi. Entrez.

Je présentai brièvement Carmel.

Nous nous installâmes et Tarri nous mit
d'office dans la main un verre plein à ras bord.

142

— Alors, tu t'en es tiré, sacré fils de garce ! J'ai toujours su que tu étais né veinard.

— Je peux te retourner le compliment, dis-je. Raconte-moi un peu comment tu es arrivé jusqu'ici ?

— Pas bien difficile. Le type qui m'a acheté possédait un atelier de réparation de navires spatiaux. Pas vraiment le mauvais mec, tu vois. Me menaçait de la boîte vingt fois par jour, mais il ne s'en est jamais servi. Malgré tout, capable de me faire bosser vingt-quatre heures sur vingt-quatre. Il en voulait pour son argent, et j'ai perdu de la sueur. Pas qu'un peu. Se méfiait vachement, aussi, mais je gardais l'œil bien ouvert. Tu t'imagines. Il y avait des navires partout. Tu ne faisais pas deux pas sans te cogner dedans. Un pot pareil, ça ne se retrouve pas.

Un bon mécanicien connaît obligatoirement la théorie du pilotage, s'il n'en a pas la pratique. Tarri avait attendu une bonne occasion et volé un navire. Remarquable exploit, à mon avis. Piloter un vaisseau quand on n'a jamais pratiqué, ça ressemble fort à une tentative suicidaire.

— Je suis arrivé jusqu'à Dernière Chance, et je me suis placé en orbite. Ils ont été très bien. M'ont envoyé un pilote, tu te rends compte ! L'idée de l'atterrissage, ça me bilait, tu dois t'en douter. C'est vachement plus compliqué que de décoller. Mais tout a gazé comme sur des roulettes. J'avais eu tellement de vase, jusque-là, que les tests, ça ne m'impressionnait même plus. Il me semblait que je pourrais réussir n'importe quoi. Et j'ai réussi, comme tu vois. Qu'est-ce qui t'est arrivé, à toi, après ce camp ?

— Beaucoup de choses. Certaines sont importantes, et elles te concernent. Nous sommes là pour te les raconter.

Je racontai. Tarri écouta, en ne posant que quelques brèves questions. Son front plissé par l'attention déformait le A.

Il vida son verre, et lécha distraitement une goutte qui coulait du bord.

— Si je comprends bien, dit-il, ce que tu me proposes, c'est de devenir un espèce de surhomme, ou d'y laisser ma peau.

Il agita la main.

— Non, ne m'interromps pas. Je sais ce que tu vas dire. Pour vous deux, ça a bien marché. D'accord, mais vous êtes jeunes. Moi, j'ai plus de cinquante ans. Réels. Je n'ai jamais eu les moyens de me payer la plus petite goutte de drogue antisénescence. C'est si vrai que les types de Dernière Chance m'ont offert des tests moins durs. Proportionnés à mes capacités physiques. Je n'ai pas connu ta jungle bleue. Donc, j'ai moins de chance que vous deux de résister à la maladie. Il faut que je réfléchisse. Remplis mon verre, tu veux, et laisse-moi en paix cinq minutes. Que je trie un peu mes idées.

— Tu n'es pas obligé de le faire, Tarri. C'est vrai, je n'avais pas pensé à ton âge.

— Boucle-la, je te dis ! Tu m'empêches de penser.

Je remplis nos trois verres. Tarri sirota en silence. Je ne le sondai pas, et Carmel non plus. Il avait le droit de peser sa décision en paix.

— D'accord, je marche ! Le but final de toute l'histoire, c'est plus important que le petit bout de vie qui me reste. Je veux être avec vous.

— Tu peux être avec nous sans passer par la mutation, Tarri.

— Pas de la même façon. Et je resterais spectateur, sans être utile à rien ? Non, je veux faire partie de l'équipe !

— Equipe qui n'est pas encore formée, lui rappelai-je.

— Ça viendra. Tiens, je connais un gars. Un Japonais. Un mec du tonnerre. Il marchera.

Par le jeu des : « Je connais un gars qui... », nous recrutâmes neuf personnes. Avec Tarri, cela faisait dix.

Carmel et moi les accompagnâmes dans la jungle bleue. Les A avaient été dissimulés sous une couche de plastoderme, et nous donnâmes des noms fantaisistes. Nous étions nombreux, et trois guides avaient été affectés à notre protection. Trois hommes qui allaient dormir durant un temps anormalement long, et qui s'en inquiéteraient. On les mettrait en observation. Sans rien découvrir, évidemment. Je ne tenais pas du tout à ce qu'on nous cherche pour nous poser des questions. Nous aurions encore besoin de la jungle bleue.

Dix recrues, ça ne faisait qu'un tout petit début.

Tout se passa très bien, et tous les malades survécurent. Tarri parut très étonné de se retrouver vivant. Il marmonna :

— J'étais sûr que j'allais en crever. Sûr. Devait pas être mon heure, finalement.

La pensée de Carmel me parvint :

— *Maintenant, pour bien faire, il faudrait que tous suivent la même évolution que nous.*

CHAPITRE XIV

Question : Comment contacte-t-on la Résistance ?

Réponse : On ne la contacte pas. C'est elle qui vous contacte.

C'était bien là mon problème. Il y faudrait une solution. Impératif.

Je regardais ma planète. Terra. La navette-taxi survolait des arbres dépouillés par l'hiver. Le ciel était bleu tendre, pâle et froid. Mon pilote se taisait avec obstination. Un moment plus tôt, il bavardait d'abondance. Puis j'avais posé une question, en apparence très anodine : « Comment ça marche, sur Terra, en ce moment ? » et il s'était refermé comme une huître.

Je l'avais sondé. Pour découvrir un flot de terreur déferlante, et l'image incrustée qui la symbolisait : des uniformes bruns, marqués d'une fougère aux pointes des cols. L'Armée MA. En plus, mon pilote me soupçonnait d'être un agent provocateur.

Depuis que j'avais débarqué au cosmoport de Roissy, tous les esprits sondés s'étaient révélés identiques. Sous le brouillage des petites pensées du quotidien, on retrouvait la même névrose. Terreur et suspicion.

Facile à comprendre : les uniformes bruns grouillaient comme autant de cafards.

J'avais moi-même été un tantinet nerveux au passage des contrôles. Ma fausse identité devait pouvoir tenir le coup, mais sait-on jamais ?

En ce moment, je m'appelais Jamal Bénali. J'étais le représentant d'une firme qui fabriquait des androïdes AMO très spéciaux. Mon visa était authentique, et portait les cachets voulus. Mon passeport l'était aussi, dans la mesure où il s'agissait d'une pièce officielle qui avait été volée vierge. Etre mutant, ça présente quelques petits avantages.

Il existait un réel Jamal Bénali. Qu'il ne me ressemblât pas beaucoup n'était pas gênant. C'était ma photo et mes empreintes, qui figuraient sur le passeport.

En ce moment, Jamal Bénali prenait de très longues vacances. Sa firme ne le savait pas encore et le croyait sur Terra, en train de placer activement la marchandise.

Jamal Bénali, le vrai, avait été acheté. Très cher.

Mais nous n'avions aucun problème de finances. La plus importante agence bancaire de Dernière Chance avait été victime de filous extrêmement habiles. Tous les témoins, clients, gardes et employés, ne se souvenaient que d'une chose : être tombés profondément endormis. Ils s'étaient réveillés à l'hôpital. Tarri avait été faire un tour par là, et s'était promené dans les couloirs. Un Tarri qui semblait avoir dix bonnes années de moins. Ses rides s'effaçaient, les fils blancs de sa chevelure redevenaient noirs, et une molaire absente avait commencé à repousser dans sa mâchoire. Un cadeau de plus, de la part de nos cellules mutantes.

Pour la première fois, la gestalt formée par notre groupe s'était dissociée. Au moment de la plongée dans l'espace 2, le contact télépathique avait été rompu. Et ne s'était pas rétabli, comme je l'avais espéré, au moment où j'en émergeais. Trop loin, probablement. Je me sentais très seul. Enfermé dans ma propre peau. Jusque-là, nous avions formé un tout.

En ce moment, le groupe devait s'occuper du recrutement. J'étais chargé d'une autre tâche.

Carmel et moi avions discuté la question de savoir si nous partirions à deux. Pour décider, finalement, que je suffirais. Inutile de risquer deux mutants là où un seul pourrait réussir. Nous n'étions pas encore assez nombreux pour être prodigues.

Logiquement, je devais pouvoir m'en tirer. Si je ne revenais pas, un autre prendrait ma place et ferait une seconde tentative. Pour que nos projets puissent arriver à maturité, il nous fallait des contacts avec la Résistance terrienne. J'allais essayer de les trouver. Pas un boulot facile. Une organisation de résistance, ça se cache. Et bien.

Mon pilote, toujours taciturne, me déposa sur une aire d'atterrissage de banlieue. Le survol de Paris n'était autorisé qu'aux véhicules de l'Armée MA. Pour circuler en ville, j'utiliserais le métro. Un système de transport souterrain dont l'origine se perd dans la nuit des temps, de même que le sens étymologique de son nom.

Je pris une chambre dans un hôtel du quartier de la Défense. Un caravansérail fréquenté en majeure partie par les voyageurs de commerce. Ce que j'étais. Pas d'uniformes bruns dans les parages. Ces messieurs avaient leurs domaines réservés. Et protégés. Quand on occupe un territoire, il convient d'être méfiant.

Je pris une douche et me changeai. Je repérai immédiatement deux micros, bien dissimulés pourtant. L'un à la tête du lit, l'autre dans la salle de bains. Espionnite aiguë, comme il fallait s'y attendre. Les découvrir ne me fatigua guère. Mes cellules me rendaient sensible au métal. Nous avions grandement progressé dans la découverte de nos dons. J'aurais pu rendre ces micros inutilisables. Je ne le fis pas. Jamal Bénali, représentant, n'avait rien à cacher.

Pour la même raison, je laissai mes bagages bien ouverts et accessibles à tous. Qu'ils cherchent, ça les occuperait.

Je descendis au bar et m'installai devant un verre. Lumières tamisées, banquettes moelleuses, musique douce. Un certain nombre de désœuvrés, et une poignée de filles, jolies et élégantes. Pas besoin de les sonder pour savoir qu'elles tapinaient. Je détournai mon regard d'yeux prometteurs, assortis d'un sourire insistant. Je n'étais pas tenté. La plus vieille profession du monde. En dépit des androïdes AMO, elle prospère toujours.

Je réfléchis, en sirotant un gir allongé d'eau. J'avais choisi Paris comme point de chute parce que j'y avais vécu sept ou huit ans. Je connaissais la ville, j'y avais eu des amis. Etaient-ils toujours là ? Rien de moins sûr. La guerre avait bouleversé bien des vies. Et même en admettant que j'arrive à en récupérer un, la loi des probabilités me donnait bien peu de chances de tomber sur le bon. Celui qui serait, de près ou de loin, affilié à un réseau de résistance.

Deuxième possibilité : le sondage. Là encore, les lois du hasard jouaient contre moi. Tomber sur la bonne pensée, juste au bon moment, pas simple. On pouvait compter qu'un être jouant un jeu dangereux refoulerait le tout au fond de son esprit, pour ne pas être taraudé par la constance du péril.

Par curiosité, je fis un essai, et testai toute la salle. Comme de bien entendu, rien du tout. Du barman à la tapineuse, les mêmes petits trucs médiocres et, sous-jacente, la peur. Peur du lendemain, plus désir frénétique de survivre, envers et contre tout.

Je dînai, et me couchai de bonne heure. La suite à demain.

Je fis un pèlerinage dans mon ancien quartier. Disparus, les amis ; envolés au vent de la guerre. En tout et pour tout, je retrouvai une relation vague. Un bonhomme avec qui j'avais à l'occasion bavardé, parce que nous fréquentions le même restaurant.

Je le sondai et me gardai bien de l'approcher. Il était collabo à cent pour cent. Il trouvait les vainqueurs très chouettes. Il est vrai qu'ils lui remplissaient les poches. Dans les grandes largeurs. Toutes ses pensées tournaient autour des bénéfices.

J'allai faire un tour à Roissy, et visitai les restaurants et bistrots autrefois fréquentés par les pilotes. Les pilotes étaient toujours là, mais pas les mêmes. La guerre sans espoir en avait fait une énorme consommation. J'en savais quelque chose.

Je commençai les sondages. Fastidieux et inutile. Je fréquentais les salles de spectacles, restaurants, cafés et autres lieux publics. Je sondais, je sondais, je sondais. Mon crâne se gonflait d'informations mineures, et je commençais à être saturé.

D'autant plus qu'il m'arrivait de tomber parfois dans un abîme de détresse. Etre télépathe, ce n'est pas seulement capter des pensées. C'est aussi ressentir. Sous un régime de terreur, l'existence n'est pas aisée. Deux ou trois fois, je sondai des esprits plongés dans une angoisse insoutenable.

La femme de cet homme avait été prise dans une rafle. Elle portait à présent un A sur le front, et lui ne savait pas ce qu'elle était devenue depuis. L'incertitude le torturait. Le fils cadet de cette femme avait été exécuté comme otage. Elle en devenait folle.

Dans ces cas-là, je coupais le plus vite possible.

J'écoutais les informations, très déplaisantes, quand il me vint une idée. Je la dorlotai, en la trouvant de plus en plus séduisante. Elle offrait de très bonnes chances. Je pourrais aussi y laisser ma peau, mais ça, c'était un risque à prendre. En continuant à piétiner comme je le faisais en ce moment, je n'arriverais jamais à rien.

*

Dix-huit heures. La nuit d'hiver arrivait tôt et il faisait déjà noir. L'éclairage public donnait à plein et, dans le coin, on n'avait pas lésiné sur les projecteurs. J'avais trouvé refuge dans la zone d'ombre dispensée par un porche et je m'y aplatissais en essayant d'être invisible. J'étais assez loin du futur théâtre de mes opérations, mais pas trop.

Des sentinelles brunes patrouillaient devant les bâtiments. Des bâtiments gris, d'aspect anodin, mais les passants les croisaient en se dépêchant au maximum, et évitaient de les regarder. Quartier général de la PSMA. Police de Sécurité des Mondes Associés. C'était là que l'on amenait les résistants capturés, aux fins d'interrogatoire.

Des bâtiments administratifs, et aussi une prison. Bien gardée. Très bien. Aucune importance, je n'avais pas l'intention d'y entrer.

Sur la place, à gauche, on avait aménagé une

aire d'atterrissage. Les navettes laquées de brun reposaient côte à côte, comme de gros hannetons endormis. La feuille de fougère des MA marquait leur coque. Une jolie feuille vert tendre, aux gracieuses volutes. A mon avis, le sigle ne convenait pas du tout. A sa place, j'aurais très bien vu une tête de mort et des os croisés. Un meilleur symbole.

Là aussi, les sentinelles patrouillaient à pas réguliers. Leur haleine se condensait en nuage de vapeur. Elles ne devaient pas avoir très chaud, malgré les uniformes à régulateurs thermiques. Ces trucs-là, ça ne marche jamais aussi bien qu'on voudrait. Le thermomètre était descendu en dessous de zéro. Nuit de gelée, à peine brumeuse.

Je m'en tirais bien mieux. Mes cellules contrôlaient parfaitement la température de mon corps. Seul problème mineur, je consommais beaucoup de calories, et j'aurais très faim avant peu.

Vingt heures. Le temps s'étirait. Bien forcé de patienter. Encore n'étais-je aucunement certain de réussir cette nuit. Ou même la suivante. Une question de hasard. Ma cachette était bonne, et, jusqu'à présent, personne ne m'avait vu.

Une navette se posa. Elle dégorgea trois ou quatre gradés, qui gagnèrent les bâtiments. Leurs casquettes à visière étroite dessinaient des ombres de rapaces.

Vingt et une heures vingt. L'attente me fatiguait. J'avais envie d'une cigarette, que je n'osais pas allumer. Les passants se raréfiaient. Couvre-feu à 23 h 30. D'ici là, il faudrait que j'aie décampé.

Puis ce que j'espérais et attendais arriva. Une navette atterrit. En sortirent trois gardes et une fille. Jeune, autant que je pouvais en juger. Des cheveux de bronze roux. Une balafre saignante sur la joue droite, et un œil vilainement poché. Des bracelets immobilisaient ses poignets dans son dos. Un garde la poussa négligemment du bout de son brûleur.

Je fis apparaître les réseaux de tout ce qui bougeait sur la place et devant les bâtiments, sauf celui de la fille.

Je n'endormis pas. Je tuai. Tellement facile. Ecraser mentalement ce nœud d'étincelles qui était le cœur. Des pions à éliminer. Endormis, ils ne m'auraient pas gêné davantage, mais je les aurais condamné au coma perpétuel, puisque je ne pourrais pas les réveiller.

Les sentinelles s'effondrèrent. Il y eut à peine deux ou trois grognements. J'avais décidé de ne pas prendre une navette. Beaucoup trop facile à abattre. Je fonçai sur la fille et l'entraînai. Elle réagit très bien. Pas de panique, pas de stupéfaction paralysante. Elle saisit sa chance et courut, sans poser de questions.

Un hurlement partit de l'une des fenêtres et une main anonyme actionna un brûleur.

Dieu merci, le tireur visait mal. La pleine décharge rata ma tête. Quelque chose de brûlant me cogna méchamment l'épaule gauche.

Le choc me bouscula comme une quille. Je me relevai sans lanterner, repérai le tireur, et l'éliminai.

Des fenêtres s'ouvraient partout, et ça braillait dur.

La fille n'avait pas commis la sottise de m'attendre. Elle tournait au coin d'un immeuble. Je la rattrapai. Nous enfilâmes la rue au galop, puis une autre, transversale. Quelque part, une sirène commença à striduler.

J'avais repéré les lieux dans la journée, et je fis entrer la fille dans un immeuble. Un ascenseur nous descendit aux caves. Elles s'étendaient sous tout un bloc d'habitations et étaient réunies par un labyrinthe de couloirs communicants. Ce dédale nous conduirait à une sortie située à quatre rues de là.

Nous le suivîmes. Mon épaule ne posait pas trop de problèmes. Elle était en bois mort. Le bras qui y pendait aussi, ou à peu près. Mes cellules avaient neutralisé la douleur à l'instant même où j'en ressentais les premières atteintes. Je ne souffrais pas et le travail de réparation devait être en train de se faire. Mes vêtements charbonneux étaient plus embêtants. J'avais l'air fraîchement rescapé d'un incendie. Et, d'ici peu, les rues allaient grouiller de patrouilles, et le ciel de navettes.

La fille ne parlait pas. Nous nous hâtions.

Je la sondai. Des nerfs solides. Elle s'était crue morte, et vivait, mais elle n'en était pas ébranlée. Elle réfléchissait. Elle avait un refuge en vue, et se demandait si elle devait m'y emmener ou pas. Elle craignait un piège. Les sentinelles s'étaient écroulées comme par magie. Elle ne croyait pas aux miracles. D'un autre côté, ce miracle, justement, plaidait en ma faveur. Un piège bien monté n'aurait pas inclus de prodige. Comment m'y étais-je pris ? Une nouvelle arme ? Et qui étais-je ? Son groupe n'avait pas pu être mis au courant de son arrestation. Ça s'était fait par hasard. La malchance. Donc, personne n'avait été envoyé à la rescousse. Plaidait aussi en ma faveur ma blessure. Elle ne croyait pas qu'un MA aurait accepté de pousser jusque-là la comédie. Une décharge de brûleur, ça ne plaisante pas. Il s'en était fallu d'un rien pour que celle qui m'avait léché m'expédie.

Nous approchions d'un ascenseur. La fille me retint par le bras, et se décida à questionner :

— Qui êtes-vous ?

— Quelqu'un qui vous veut du bien, exactement comme dans un feuilleton. Sauf que ça ne sera pas gratuit. J'espère quelque chose en échange.

— Quoi ?

— Sérions les problèmes. Celui-là peut attendre. Si vous avez une planque, c'est le moment d'en parler. Sinon, nous allons nous retrouver dans leurs pattes.

— J'ai une planque et je vais vous y mener. Seulement, écoutez-moi bien. Le refuge en question est vide. Si vous êtes un espion, vous ne prendrez que moi. Comme vous m'aviez déjà, ça ne fera pas plus de bénéfices.

— Je ne suis pas un espion, mais que je le dise, j'imagine très bien que ça ne vous fait ni chaud ni froid. Je ne peux pas le prouver. Vous en déciderez vous-même. Jusque-là, si vous le voulez bien, enterrons la hache de guerre et comportons-nous en alliés.

— D'accord. Jusqu'à un certain point.

Elle avait toujours les mains coincées dans son dos, et je me rappelai que j'avais une solution pour ça.

— En attendant mieux, dis-je, voilà toujours un gage de bonne volonté.

Je palpai mentalement la structure de métal et je le fractionnai. Les menottes quittèrent ses poignets.

Elle souffla, incrédule :

— Mais qui êtes-vous ? Superman ?

— Dans un certain sens, oui. Plus ou moins. Venez, maintenant, ne traînons pas trop.

Le refuge où elle m'amena consistait en un studio situé dans un gratte-ciel des bords de la Seine. Nous n'avions eu que peu de chemin à faire. Heureusement. Les patrouilles quadrillaient les rues. Plusieurs fois, nous dûmes chercher refuge dans l'entrée d'un immeuble. Facile. Même magnétiques, les serrures ne me résistaient pas longtemps.

Elle voulut tout de suite s'occuper de ma blessure.

— Pas la peine, dis-je, c'est en train de s'arranger tout seul.

Je retirai ma veste et ma chemise. Le travail était en bonne voie. La chair bourgeonnait. Mon épaule était encore raide, mais moins qu'au début. C'était la première fois que j'étais touché aussi profondément, mais, à mon avis, d'ici une heure ou deux, il n'en resterait plus trace.

La fille n'en croyait pas ses yeux.

— Comment est-ce possible ? C'est déjà presque cicatrisé !

Je la découvrais. Très jolie, malgré l'œil poché. Un petit nez semé de taches de rousseur, des prunelles ambrées, et une très belle bouche.

— Allez soigner cet œil, dis-je, et cette égratignure sur votre joue. Ils vous ont maltraitée ?

— Un peu. Je me débattais. J'ai quelques bleus. Je n'en mourrai pas. Ce qui m'attendait, c'était les drogues de vérité, plus un brin de torture, en prime et pour le plaisir. Puis la mort, ou un A sur le front. Je m'en tire à très bon compte. A propos, je vous remercie.

— Remerciez plutôt le hasard. Je ne vous ai pas choisie. Ç'aurait pu être n'importe qui. Je vous ai dit que j'attendais quelque chose en échange du service rendu.

— Mais quoi, à la fin ?

— Soignez-vous, puis nous parlerons.

Nous parlâmes. En mangeant des conserves et en partageant du vin. Je lui démontrai, par A plus B, ceux de mes talents qu'elle ne connaissait pas encore.

Et je lui dévoilai mes plans.

— Je pense que je vous crois. Je suis sûre que vous ne pouvez pas être un espion, pour une raison très simple. Si l'Armée MA possédait des mutants de votre genre, ils auraient démantelé nos groupes depuis longtemps. Je vais essayer de faire en sorte que vous puissiez rencontrer celui que vous voulez voir. Je vous préviens que ça prendra du temps. Je ne le connais pas. Nul d'entre nous ne le connaît.

Pour des raisons évidentes, nous sommes cloisonnés. Mais je vais transmettre le message. Il remontera la filière. Ce que vous proposez, ce que vous représentez, c'est l'unique chance de Terra. Je ne peux pas risquer de la laisser passer.

Je la sondai. Elle me croyait et avait pris sa décision. En même temps, la crainte de faire une erreur la taraudait.

— Ne craignez plus, dis-je. Tout ce que je vous ai dit est vrai. J'ai eu du vadium dans les nerfs. Ça, vous pouvez le contrôler. N'importe quel ATOF saura si je mens ou non. Parmi tous les résistants, il doit bien en exister un.

— Nous en avons accueilli quelques-uns, qui avaient réussi à fuir. Nos chirurgiens les ont opérés d'extrême urgence.

— Un seul suffira. L'action du vadium dans un réseau sensoriel, ça vous marque. Très profond. Et ça ne peut pas se simuler. Il faut vraiment avoir expérimenté. Je ne vous propose pas les drogues de vérité. Je suis certain que mes cellules les neutraliseraient. Mais si vous voulez tout de même essayer, je ne m'y oppose pas. Pas plus qu'à n'importe quel contrôle.

— Vous êtes un mutant, Garral. Quel contrôle pourrions-nous exercer ? Non. J'ai décidé de vous faire confiance. Je ne crois pas que vous m'ayez trompée. Je ne veux pas le croire. Je ne peux pas.

Les yeux d'ambre étaient pleins d'espoir. J'avais appris son nom : Samarra Delmarais. Sa bouche m'aimantait. Une bouche parfaite.

Des lèvres pleines, au dessin pur. La tentation devenait irrésistible.

Je la pris par les épaules, sans hâte, et je m'approchai de ses lèvres. Deux bras se fermèrent sur mon cou, et un corps adhéra au mien.

Je l'embrassai. Très lentement. J'avais toute l'éternité.

Je rencontrai l'homme que je devais voir, dans un lieu inconnu. J'étais arrivé là en navette, les yeux bandés. Le voyage avait été très long.

Pour parvenir jusqu'à cet homme, j'avais répondu à un millier de questions. Y compris celles posées par un ATOF. Celui-là m'avait cru. Il savait, et moi aussi. J'avais aussi subi quantité d'examens. Ils n'avaient pas découvert, dans mon corps, le micro dissimulé qu'ils craignaient.

L'homme qui me faisait face portait un nom de code. Symbolique : « Spartacus ». J'en avais un aussi : « Sredni Vashtar ». J'aime beaucoup cette nouvelle de Saki. « Sredni Vashtar s'en est allé. Ses pensées étaient rouges, et ses dents étaient blanches. » Encore des symboles. Appropriés.

Spartacus avait des yeux pâles, aussi gelés qu'un étang de montagne en hiver. N'importe quel âge, entre trente et quarante ans. Impossible de préciser. Des cheveux noirs, une mâchoire dure et un nez légèrement busqué. Le chef qui coiffait toute la Résistance terrienne.

Je lui parlai. Au bout de quelque temps, il me fit confiance. Il m'aurait fait confiance même sans les contrôles préalables. Il savait juger par lui-même. Les détails furent mis au point. Je sus comment je pourrais le contacter. J'enregistrai le code. Très aisément. J'avais acquis aussi une mémoire photographique.

Le jour venu, il frapperait. Comme je le voulais.

*
**

— Durant ton absence, dit Carmel, satisfait, nous avons rudement bien travaillé. Tous les volontaires ont guéri, et tous sont mutants. Actuellement, nous sommes vingt-neuf.

— Pour le jour « J », il en faudra bien plus. A ton avis, combien peut-il y avoir d'ATOF sur Dernière Chance ?

— Difficile à dire. L'Association compte cent soixante-deux adhérents, mais il doit y en avoir bien davantage.

— Pour bien faire, dis-je, il nous les faudrait tous.

— On recrutera, dit Carmel, très optimiste.

— Deuxième point : où en est la trésorerie ?

— En excellent état.

— Nous allons y faire un très gros trou. Pour acheter des armes. Ensuite, il faudra s'occuper de les faire larguer sur Terra.

— *Pas facile*, émit Carmel.

Je voyais, dans son esprit, les filets de surveillance enserrant la planète. Je transmis :

— Faisable. Des capsules téléguidées, larguées de très loin. Elles seront assez petites pour passer entre les mailles.

— Oui. Possible.

CHAPITRE XV

J'actionnai la commande d'ouverture du sas, et enclenchai en même temps la touche d'autodestruction du navire.

Nous étions prêts. J'attrapai au vol mon sac à dos, Carmel en fit autant du sien, et nous jaillîmes à l'extérieur. Nous courûmes en comptant les secondes. A trente, nous nous laissâmes choir, pour nous aplatir derrière un bloc rocheux.

Le souffle de l'explosion nous fouetta de son haleine brûlante. Une pluie de menus fragments dégringola en cascade. Nous nous relevâmes, pour partir au pas de course.

D'ici peu, les navires qui nous avaient pris en chasse atterriraient. De notre vaisseau, ils ne retrouveraient que de très petits morceaux. Plus quelques bouts de chair et d'os. Les restes du cadavre qui avait fait le voyage dans la chambre froide. Avant de faire sauter le navire, je l'avais installé aux commandes. Une des charges explosives se trouvant pratiquement sous ses fesses, il ne devait pas rester grand-chose de lui. Assez, toutefois, pour accréditer ma version.

Pour prendre pied sur Désert Rouge, je leur avais fais croire qu'ils m'avaient détruit.

Atterrir n'avait pas été simple, et nous avions frôlé la mort de très près. Non seulement parce qu'ils nous tiraient dessus avec entrain, mais, parce que, pour les persuader qu'ils m'avaient touché, j'avais laissé le navire choir dans l'atmosphère comme un caillou, et repris les commandes juste avant l'écrasement. Pas exactement un travail de tout repos, et qui avait exigé presque autant de chance que de précision. L'explosion avait apporté la touche finale.

Ils fouineraient et finiraient par décider que le fou qui avait tenté de s'approcher de Désert Rouge était mort. Parfait.

Nous filions au petit trot. Le sol rocheux ne garderait pas la moindre empreinte. Il renvoyait encore la chaleur emmagasinée durant le jour, mais d'ici à quelques heures, il gèlerait à pierre fendre.

Désert Rouge est un monde sec. Pas totalement stérile, toutefois. Aux deux pôles, on trouve de l'eau et une végétation maigre, lichens, cactées. Une faune cuirassée, armée tout à la fois contre la chaleur et le froid, y subsiste. La ceinture équatoriale n'est pas vivable. Pour personne. Les variations de température y sont terrifiantes, et on y rencontre, à l'occasion, des lacs de matière ignée. Sans parler des tempêtes qui s'y développent allégrement.

Actuellement, nous nous trouvions près du pôle Nord, à proximité de la ville d'Enfer. Il y a bien longtemps que les colons qui l'ont baptisée ainsi ne l'habitent plus. Elle date des premières années de l'expansion. Depuis, les hommes ont trouvé dans l'espace bien assez de mondes confortables pour ne pas s'entêter à coloniser ceux où la vie quotidienne serait trop pénible.

Enfer avait été construite pour durer. Abandonnée, elle résista à l'érosion, et Mel Farquart la découvrit presque intacte, au cours d'une expédition de chasse.

Il a toujours eu la réputation d'adorer la chaleur. Désert Rouge lui plaisait. Enfer lui plut bien davantage. Il la fit équiper, moderniser et transformer en forteresse imprenable.

Depuis, il l'habite à l'année. Il ne la quitte que rarement, pour assister à quelque cérémonie officielle. Le reste du temps, Mahomet ne va pas à la montagne. C'est la montagne qui doit venir à Mahomet. Mais, pour se poser sur le cosmoport d'Enfer, il faut être au moins chef d'Etat, et montrer vingt fois patte blanche. Il n'en était absolument pas question pour nous.

Farquart veille à sa protection avec un soin jaloux. Non seulement Enfer est une forteresse bien gardée, mais toute la région alentour, dans un rayon d'environ cent kilomètres, a été truffée de mines. Mines équipées de détecteurs de métal, et réglées pour exploser dès qu'elles en reniflent un milligramme. Comme il ne saurait être question de se promener sans équipement dans une région où la température diurne grimpe jusqu'à cinquante à l'ombre pour redescendre à moins vingt la nuit, Farquart dort sur ses deux oreilles. Et ses jolies petites mines n'ont pas besoin d'être remplacées pour la seule raison qu'un lézard à rostre a été y traîner son ventre.

Mais Carmel et moi ne transportions pas sur nous la moindre bribe de métal. Même pas un plombage. Pas de montre, pas de boussole, pas d'arme, pas de régulateur thermique dans nos vêtements. Nos cellules mutantes se chargeraient de tout. Elles s'en chargeaient, du reste ; il commençait à faire très froid.

Le ciel sombre, clouté d'étoiles, avait cette pureté lumineuse qui n'appartient qu'aux lieux où l'atmosphère est ténue. Normalement, pour éviter le dessèchement des voies respiratoires, nous aurions dû porter des masques. Nos cellules s'occupaient de ça aussi.

— *Il y a une mine sur la droite*, émit Carmel.

— *Je l'ai sentie.*

Par prudence, nous fîmes un léger détour. Juste au cas où elles auraient aussi été réglées sur autre chose que le métal. Par exemple, sur le rayonnement de chaleur émis par un corps humain. On ne se méfie jamais assez.

Nous avions atterri en dehors du périmètre protégé par les mines, et, pour rejoindre notre objectif, il nous faudrait faire pas mal de chemin.

Mutants ou pas, nous eûmes quelques problèmes. Nourriture et boisson, pour commencer. Nous transportions de l'eau, dans nos sacs, et des rations d'aliments concentrés, mais, pour nous maintenir en bonne santé dans un environnement très hostile, nos cellules consommaient une quantité de calories proprement effrayante. Et elles réclamaient aussi davantage d'eau que nous ne pouvions leur en fournir. Nous n'avions ni trop chaud ni trop froid, mais nous étions affamés et assoiffés. Pas qu'un peu.

— Il va falloir trouver une solution, dit Carmel. Sinon, nous n'arriverons jamais à Enfer. Il y a des trucs consommables, par ici ?

— Les colons de Désert Rouge considéraient le lézard à rostre comme une friandise. Ils l'exportaient, même, mais je suppose qu'ils le mangeaient cuit.

Pas question pour nous de faire du feu. Les navettes de surveillance étaient déjà bien assez embêtantes comme ça. Chaque fois qu'il s'en pointait une, nous nous cachions. Dans une région où rien ne poussait hormis des cactées de petite taille, ce n'était pas toujours simple. Ce qui nous sauvait, c'était leur excès de confiance. Ils n'imaginaient pas une seconde que quelque chose d'autre qu'un lézard puisse se promener dans leur désert miné. Et nos vêtements avaient la teinte exacte de l'environnement. Un rouge vineux.

— Cuit ou cru, dit Carmel, il faudra essayer. Ça ressemble à quoi, tes lézards à rostre ?

— Tu en as tué un ce matin.

— Cette sale bestiole à ventre plat et pattes tordues ? Celle qui avait une longue corne sur le poitrail et une grosse fringale ?

— Exactement.

— Superbe ! Ça va faire un magnifique tas de viande. Ne ratons pas le prochain.

Difficile de les rater. Ils abondaient. Gros et agressifs. Quand ils chargeaient, leurs cuirasses cloutées raclaient bruyamment la rocaille. Des gros yeux pourpres, une gueule toute en dents, et des écailles épaisses, rouge sombre, marbrées de noir.

Un animal, ça possède un réseau, exactement comme un homme. Je tuai avec aisance celui qui fonçait sur nous. Dans son désir d'arriver plus vite sur les proies, ses pattes torses dérapaient.

Nous avions de très jolis couteaux. Primitifs et techniques. Manches de bois, lames de pierre affilée, attaches de cuir tressé.

J'eus tout de même du mal à entailler l'épaisse cuirasse. Les coupures faites, ça marcha tout seul. Le lézard se dépiauta comme un gant. La chair était blanche, à grain serré. Nous goûtâmes. Coriace, mais pas si mauvais. Pour la première fois, notre faim fut apaisée. Restait la soif.

Nous réglâmes le problème avec les cactées. En les tailladant, nous pouvions en extraire du liquide. Fort amer, mais nos cellules s'en arrangèrent. Si cette eau contenait du poisson, nous ne le sûmes pas.

La ville se découpait sur l'horizon. Une lointaine tache blanche, qui réverbérait le soleil levant.

— *Nous ne pouvons rien faire avant le soir*, transmis-je. *Cherchons un coin commode pour attendre.*

Nous trouvâmes un refuge dans un entassement de rocs qui donnait un peu d'ombre. Nous nous y installâmes.

— *Mangeons ce reste de lézard*, émit Carmel, avant qu'il attire ici tous les insectes de la planète.

Nous avions tué la bête la veille au soir. J'en transportais un joli morceau, enveloppé dans la peau fine du ventre. La nuit, ça se conservait admirablement, mais dès que la chaleur renaissait, ça se mettait à pourrir à toute allure. L'odeur attirait des nuées de bestioles empoisonnantes.

Le conseil de Carmel était bon, et je sortis la viande de mon sac.

Je mâchouillai ma part. Saveur un peu salée, et consistance caoutchouteuse. Il fallait mâcher très longtemps, ou avaler en bloc, en laissant l'estomac se débrouiller avec. Carmel mastiquait, avec une remarquable patience. J'en avais moins.

Le ronflement d'une navette nous coucha sur le sol. Elle passa, assez haut dans le bleu lumineux du ciel.

J'avais l'impression d'avoir l'estomac lesté de cailloux. Pour tenter de les faire descendre, j'avalai un peu du liquide amer tiré des cactées. Je passai l'outre à Carmel. Il but.

— Le régime nous profite, dit-il, mais je ne peux pas dire que j'y prenne un extrême plaisir. Ce que j'aimerais, c'est...

— Si tu commences à énumérer les plats du festin dont tu rêves, je t'assomme dès les hors-d'œuvre !

Il se tut avec un soupir de résignation douloureuse, et des yeux de martyr levés vers le ciel. En même temps, il émettait un flot de détresse pleurnicharde, sirupeuse, très « Annie l'orpheline ». Je répondis par un désir de meurtre assorti d'une touche de démence style « Savant fou ».

Nous rîmes. Petits jeux de télépathes.

Nous tuâmes les heures en dormant. Toute la journée. Ça aussi, nous pouvions le faire sur commande, en même temps qu'une part du subconscient demeurait à veiller. Les lézards à rostre ne nous dérangèrent pas, ni les navettes, qui passèrent sans nous voir.

La nuit venue, je tirai de mon sac une barre d'aggloméré à combustion lente, et une petite poche de plastique hermétiquement fermée. Elle contenait une poudre qui s'enflammerait au contact de l'air.

Je fis partir le feu et des flammes gaies illuminèrent la nuit.

Enfer est doublement fermée. Par le champ de force répulsif qui l'encercle, puis par son mur d'enceinte, aussi haut et solide que celui d'un château fort. Des sentinelles parcourent en permanence le chemin de ronde.

La ville n'a pas de portes. Pas une seule. Pour y entrer, il faut des ailes. Nous allions nous en procurer. Le feu que je venais d'allumer était miroir aux alouettes.

Nous laissâmes le foyer solitaire, pour nous dissimuler derrière notre entassement rocheux. Les flammes paresseuses, bleutées, faisaient une jolie tache de lumière.

Elle attira l'oiseau. Nous ne l'avions pas attendu bien longtemps.

La navette se posa juste à côté du foyer. Juste à côté aussi d'une jolie mine enterrée. Pas de problème, bien sûr. Ils disposaient de toute la protection voulue.

Deux hommes en uniforme descendirent. Stupéfaits et très nerveux. Armes braquées. Au moindre soupçon de bruit, ils tireraient.

Ils n'en eurent pas l'occasion. Carmel en prit un, et je tuai l'autre dès que je pus le voir. Curieusement, pour faire apparaître un réseau, il faut avoir devant les yeux l'homme qu'il représente. Sinon, ça ne marche pas. Même un paravent de papier dissimulant l'objectif suffit pour faire écran.

Nous enfilâmes leurs uniformes. Pas la perfection, mais ça pouvait aller. Du moins pour le survol. A l'atterrissage, les choses auraient peut-être tendance à se gâter. On verrait ça en temps voulu.

Le transmetteur branché de la navette nasilla une question. Je me risquai à répondre fort peu protocolairement :

— Oui ?

Il s'en contenta. Pas service service, à ce qu'il semblait. Tant mieux pour nous.

Il demanda :

— Alors ? Qu'est-ce que c'était, ce feu ?

— Une erreur, dis-je. Un reflet de nos phares sur de la roche micacée.

Le transmetteur rit.

— Ça ne m'étonne pas de toi, Ergal, tu n'en fais jamais d'autres !

172

— Tout le monde peut se tromper, dis-je, boudeur et confus.

— C'est ça ! Et n'oublie pas d'appeler si tu vois des fantômes. Ça fera passer la nuit. Terminé ?

— Terminé.

Je coupai. Ce qu'il y a de bien, avec un transmetteur, c'est que ça nasille toujours plus ou moins. Allez savoir, avec ça, quelle voix appartient à qui ? L'homme de garde m'avait pris pour son petit copain.

Je dissimulai les corps sous des rochers. Carmel alla cacher notre équipement un peu plus loin. De toute façon, nous n'en aurions plus besoin. Nous avions prévu un chemin de retour différent.

Je posai la navette sur une aire d'atterrissage qui en contenait déjà beaucoup. Ça ne parut intéresser personne. Nous descendîmes. Un soldat nous vit. Sans que le cours paisible de ses pensées en soit modifié. Pour le moment, tout allait bien.

Nous nous éloignâmes, pour nous rapprocher d'un groupe de bâtiments. Pierres blanches, que la nuit étoilée rendait étrangement brillantes. Je sondai au hasard. Dans celui-ci, sur la droite, un grand nombre d'hommes étaient rassemblés. Ils mangeaient. Le flot des pensées entrecroisées était pénible à capter, et ne m'apportait rien. Là, à gauche, un dortoir. Tous ses occupants dormaient.

Nous marchâmes un moment en longeant les murs. Un homme seul. Vague lieutenant sous-fifre. Sans intérêt. Un groupe. Partie de poker. Sans intérêt. Une salle de repos. Des hommes regardent un spectacle télévisé. Celui-là écrit à sa petite amie. Sans intérêt.

Une fenêtre et un homme étudiant des dossiers. Je le sondai un moment.

— *Essayons-le*, émit Carmel.

— *D'accord!*

La fenêtre était close. L'homme qui me faisait face ne voyait rien. Assis à son bureau, il étudiait un dossier avec attention. Je l'endormis.

Carmel s'occupa de la fenêtre, qui s'ouvrit docilement. Nous entrâmes et je la refermai tant bien que mal. Une partie du pêne n'existait plus. J'occultai les vitres. Un système de climatisation ronronna en se remettant en route.

Carmel paralysa les bras, les jambes et la langue de l'endormi. Le reste fonctionnerait normalement. Du travail plus subtil que celui que j'avais effectué sur Rosso, à mon premier essai. Il est vrai que, depuis, nous avions progressé.

Je réveillai l'homme et posai mes questions. Même sans sa langue inerte, il n'aurait pas répondu. Et pas non plus si je l'avais torturé. C'était un homme avec du courage, et le sens du devoir. Mais mes questions faisaient naître dans son cerveau toutes les bonnes réponses.

Il savait beaucoup de choses.

Quand j'eus tiré de lui tous les renseignements nécessaires, je le tuai. Pas tellement de gaieté de cœur. Mais à quoi bon l'endormir puisque nous ne pourrions pas le réveiller ? Ça ne faisait aucune différence.

— *Il va falloir passer au plan 2*, transmis-je.

Les renseignements obtenus nous obligeaient à modifier les dispositions initiales.

Durant quelques secondes, Carmel me ferma son esprit. Mais je savais très bien qu'il devait être, en cet instant, passablement amer. Cette phase plan 2, nous l'avions tirée au sort. Et je l'avais gagnée.

A partir de maintenant, j'allais prendre en main la suite des opérations. Seul. Carmel se contenterait de les suivre par contact télépathique. Et resterait en réserve pour les reprendre à son compte si j'échouais.

Il se pencha pour saisir le cadavre par le col de sa chemise, le traîna jusqu'à un placard et l'y enferma. Bien avant qu'il commence à sentir mauvais, notre tâche serait terminée. Ou nous serions morts. Tous les deux.

— *Rapprochons-nous un peu, puis je chercherai une cachette commode*, émit Carmel.

Pour gagner les bâtiments situés au nord, nous traversâmes une bonne partie de la ville. Sans difficulté. Nos uniformes nous rendaient anonymes et nous couvraient. Personne ne s'intéressait spécialement à nous.

Les immeubles blancs, identiques d'aspect et de forme, se découpaient sur la nuit. Quelque part sous ces blocs de pierres, profondément enfouis dans le sous-sol, se trouvaient les appartements privés de Mel Farquart. Pour y arriver : un unique ascenseur, protégé par un champ de force répulsif. Nous ne pouvions pas l'annuler. Impossible. Surtout pas en altérant

le métal de son mécanisme. C'est un appareil-
lage beaucoup trop délicat, et le moindre
tripatouillage précipiterait tout ce qui vivait
alentour dans une distorsion irréversible.

Pour arriver jusqu'à mon objectif, j'allais
devoir me livrer.

Carmel trouva refuge dans un entrepôt. Il
s'installa dans un placard sur une pile de
couvertures. Il ne me souhaita pas bonne
chance, ce n'était pas nécessaire. Durant toute
l'opération, nos esprits resteraient couplés. Il
ne m'arriverait rien qu'il ne sache aussitôt. En
quelque sorte, il m'accompagnait. Je ne serais
pas seul.

Je le laissai, sondai ici et là pour trouver un
point de chute convenable, et entrai tout bon-
nement dans une salle de garde.

Je n'y provoquai pas de sensation. On me
demanda tout simplement ce que je voulais.
L'uniforme me couvrait toujours.

Je réclamai l'autorité des lieux, et racontai
un petit bout d'histoire. Cette fois, j'eus du
succès. Enormément. Mon interlocuteur
devint hystérique, et se rua sur le plus proche
appareil de communication. Il ne désirait
qu'une chose : refiler à quelqu'un d'autre le
cas épineux que je représentais.

Il y eut énormément d'agitation et de questions. Des armes pointaient dans tous les
coins. Ils me cognèrent. Un peu. Parce que ça
faisait partie de leurs habitudes. Je m'arrangeai pour ne pas sentir grand-chose, et même
rien du tout quand je pouvais prévoir où
tomberait le coup.

Ils me déshabillèrent et fouillèrent mes vêtements. Ils promenèrent sur moi des écrans, cherchant avec conscience ce que je pouvais bien dissimuler à l'intérieur de mon corps. Ils vérifièrent mes dents, une par une, sondèrent mes orifices, triturèrent mes cheveux, testèrent ma peau et mes ongles. Ça n'en finissait pas. Des gens méfiants. Très.

Et ils questionnèrent, questionnèrent, et questionnnèrent encore. Je leur servis à tous une histoire qui ne variait pas.

Je finis par me retrouver devant un énième inquisiteur. Si l'on tenait compte de la manière déférente dont mes gardes s'adressaient à lui, il devait avoir du poids.

J'avais été vissé sur un siège. Je ne risquais pas de gesticuler. Des attaches me coinçaient à peu près partout. Du métal. J'aurais pu m'en débarrasser en moins de deux secondes.

Une fois de plus, je répondis aux questions. Très docilement.

Qui étais-je ?

Garral Saltienne. Un Terrien.

Comment étais-je arrivé sur Désert Rouge ? Et qui m'y avait amené ?

J'étais sous blocage hypnotique. Je ne pouvais pas répondre à ces questions.

Un blocage hypnotique de bonne qualité, ça rend celui qui l'a subi aussi muet que s'il portait un bâillon. Les drogues de vérité n'en triomphent pas, ni la torture. Cela inclus aussi un circuit suicide imprimé dans le cerveau. Si l'on insiste trop, le bloqué meurt.

Mon inquisiteur savait très bien tout cela, et il passa à autre chose.

Comment étais-je parvenu jusqu'à Enfer ?

Là, je mêlai le faux et le vrai. Je racontai comment j'avais fait atterrir la navette. J'avais pris par surprise ses deux occupants et je les avais tués. Inutile de détailler la suite de l'opération, il n'était pas idiot.

Qui avait monté toute cette histoire ?

Je ne le savais pas. J'avais été engagé par un inconnu masqué. Il m'avait promis une fortune pour la tâche à exécuter. J'en avais touché la moitié, j'aurais le reste si je réussissais. J'apportais un message au Président Farquart.

Quel message ?

Blocage hypnotique. Ce message était pour le Président. Je ne pourrais le délivrer qu'à lui.

Mon inquisiteur ruminait. Je le sondai. Il me croyait en partie. Mais il vérifierait tout de même. Il aurait vérifié même s'il m'avait cru à cent pour cent. Il était très intrigué. Il aurait donné beaucoup pour apprendre comment j'avais atteri sur Désert Rouge. Un Terrien. Qu'est-ce que Terra faisait dans cette histoire ? Je connus sa phrase suivante avant qu'il ouvre la bouche.

Il allait me reposer les mêmes questions sous contrôles des drogues de vérité.

Y voyais-je un inconvénient ?

Que j'en voie ou pas n'aurait pas fait de différence. Je répondis avec empressement.

Aucun inconvénient, bien sûr. Sauf en ce qui concernait les informations bloquées, je n'avais rien à cacher.

178

Ils me firent trois injections intraveineuses, à intervalles de cinq minutes. Je neutralisai la première en quelques secondes. La deuxième me prit à peine plus longtemps. La troisième me donna du travail. Un moment, je crus que j'allais être saturé. L'inquiétude de Carmel se mêla à la mienne. Puis je triomphai de la drogue.

Je jouai une petite comédie très au point. Je devins euphorique, et atteint de diarrhée verbale. J'eus les joues enflammées, et les yeux brillants. Je me tortillai sur mon siège, dans la mesure où mes liens me le permettaient. Je réclamai plusieurs fois à boire. Et je bavardai. Interminablement. A chaque question, je me lançais dans un flot de phrases volubiles, et je m'égarais en digressions. Mon interlocuteur me ramenait fermement à l'essentiel.

Il n'apprit rien de plus que ce qu'il savait déjà.

Je le sondai. Cette fois, il me croyait sans restriction. Il ne pouvait pas faire autrement. Les drogues de vérité, c'est quelque chose de très au point. Quand elles circulent dans le sang, il est impossible de dissimuler quoi que ce soit.

Il prit sa décision. Il allait avertir Farquart. Le Président jugerait par lui-même.

La satisfaction de Carmel répondit à la mienne. L'affaire était en bonne voie.

Ils me promenèrent dans des couloirs. Je passai d'une équipe de gardes à une autre, comme une balle poussée par les joueurs. J'avais les poignets dans le dos, les pieds entravés par une chaîne. J'étais nu comme un ver.

Au bout de mon périple, j'attendis. Très longtemps.

Trois hommes vinrent me chercher. J'en reconnus un. Gasselin Vance, le factotum de Farquart. Les deux autres étaient des gardes du corps musclés. Silencieux et attentifs.

Vance m'examina sur toutes les coutures, et posa quelques questions sèches.

Je le sondai. Il cherchait à m'évaluer. Il me classa, rapidement, dans la catégorie des imbéciles. Du genre qui accepte une mission suicide en échange d'argent, et qui, en plus, se croit tenu par l'engagement pris. Il me méprisait. Il se sentait très malin. Il se sentait toujours très malin.

Un blond. Grand et souple. Des yeux de serpent et des lèvres minces. Il les léchait très souvent. Ce qu'il y avait au fond de son esprit était pourri. Depuis très longtemps.

Ils m'emmenèrent.

Vance neutralisa le champ de l'ascenseur. Son dos masquait ses gestes, mais je lisais dans son esprit à livre ouvert. Pas une des manœuvres effectuées ne m'échappa.

Les deux gros bras m'encadraient. Ils ne s'occupaient que de moi. Exclusivement. Au moindre geste un peu suspect, j'étais mort.

Je rencontrai mon objectif dans une vaste pièce. Meubles de qualité, mais décor très sobre. Sur les fausses fenêtres, des paysages de jungle bougeaient, agités par le grouillement d'une vie frénétique.

Mel Farquart. Un visage que tout le monde connaît. Qui passe et repasse, quotidiennement, sur les écrans TV. Un visage large, carré, avec une mâchoire de bouledogue et un nez important. Un visage sans rides. Les drogues antisénescence sont passées par là. Des yeux clairs, gris-jaune. Surprenants, magnétiques. Qui dégagent de la puissance, et un grand pouvoir d'attraction.

Un torse massif, des épaules très larges, des cuisses musclées. Il était assis dans un fauteuil. Pas vautré. Assis. Ses doigts tenaient un cigare long et mince, qui répandait une odeur d'aromates mêlée à celle du tabac. Des doigts un peu courts, aux phalanges poilues. Il aspira la fumée et ses paupières s'abaissèrent.

Il était vêtu très simplement. Pantalon et chemise d'uniforme brun, sans signes distinctifs. Il ne portait pas d'arme visible.

Il m'examinait.

Je le sondai. Il était intrigué. Mais pas pressé. Il saurait. Tout. Le message délivré, il se proposait de me remettre aux mains de médecins inquisiteurs. Par-dessus tout, il désirait apprendre de quelle façon j'avais pu prendre pied sur sa planète si bien gardée. Et si, par miracle, mon blocage hypnotique me laissait survivre à l'interrogatoire, il me ferait tuer. D'une façon très déplaisante. Parce que, durant un moment, je l'avais gêné. Inadmissible. Je payerais.

Je l'analysai. Plus profondément que je

n'avais jamais analysé quiconque. Ce n'était pas un monstre. Mais non. Seulement un homme, sûr que ses décisions étaient les seules valables. Elles l'avaient été, l'étaient, et le seraient toujours. Ça s'arrêtait là.

En entrant dans la pièce, à l'instant où je l'avais découvert, un courant de haine brûlante avait remonté dans ma gorge. La haine était toujours là, mais refroidie. On ne hait pas viscéralement une avalanche ou un tremblement de terre. Il était né comme ça, et voilà tout.

Sa première question n'avait pas été incluse dans la liste de celles précédemment posées.

— Est-ce que ce blocage t'autorise à parler en présence de témoins ?

Je ne répondis pas. Les deux gardes du corps m'encadraient. De très près. Vance s'était assis à côté de Farquart. Ses jambes étaient croisées et il fixait la pointe de ses chaussures.

Je fis apparaître les quatre réseaux.

Je tuai les deux gorilles. Ils s'écroulèrent. J'écrasai les étincelles du cœur de Vance. Il se renversa sur son siège. Son bras glissa de l'accoudoir et sa tête se tassa sur son épaule.

Farquart allait bouger. Je l'immobilisai.

Je le sondai. Il était inquiet. Très inquiet. Mais il ne paniquait pas. Il calculait. Inutile d'appeler à l'aide. Les murs étaient parfaitement insonorisés. Personne n'entendrait. Il avait eu toute confiance en ses gardes, et en la multitude de gadgets dissimulés partout. Des gadgets sûrs. Armes, pièges... Mais il ne pouvait pas remuer. Il ne comprenait pas. Pas du tout. Il n'était pas encore terrifié. J'étais enchaîné. Je ne sortirais pas vivant d'ici. Il me ferait écorcher vif. En attendant, il se préparait à marchander. Sans la moindre intention de tenir sa part du marché.

Je tâtai la structure de mes chaînes, et en déplaçai les molécules. Elles s'émiettèrent.

Il me regardait. Définitivement incrédule. Il ne pouvait pas accepter le témoignage de ses yeux. Qui étais-je ?

— Un mutant, dis-je.

— Un mutant ? Impossible... Ça...

— Mais si, ça existe. C'est une longue histoire, qui a débuté le jour où j'ai eu du vadium inséré dans les nerfs.

— Un ATOF ?

Il avait murmuré le mot entre ses dents. Il le mâchait. Cette fois, il avait peur. Jusque-là, il n'avait pas su, exactement, ce que je lui voulais. Il commençait à réaliser. Et sa certitude d'être vulnérable se fissurait. Il réagit :

— Qu'est-ce que tu veux ? Nous pouvons...

— Non. Pas de marché. Ce n'est vraiment pas nécessaire. En ce moment, sur une moitié de Terra, le jour se lève. L'autre face entre dans la nuit, mais l'action sera parfaitement coordonnée. La Résistance va s'emparer de tous les centres de communications, des cosmoports, des dépôts de matériel lourd et autres points stratégiques. Nous leur avons fourni les armes nécessaires. Ils vont frapper dur, et très vite. Nous pensons que la population suivra.

— Nous ?

— Nous. Les mutants. Les Terriens mutants.

Il ne répondit pas. Il échafaudait des plans. Nets et précis. Il pensait vite. Messages à tous les MA. Mouvements de troupes. Mise en orbite des vaisseaux de bombardement.

Dans son esprit, je vis Terra en flammes et sang.

Puis tous les plans furent balayés par un déferlement de crainte. Si je lui dévoilais tout, c'était parce que...

— Exactement, dis-je. Il n'y aura pas d'ordres. Aucun. Parce que personne ne sera là pour les donner. Ça, c'est la deuxième partie de notre plan. Celle que nous avons personnellement prise en charge. Actuellement, sur chacun des Mondes Associés, il y a des mutants. Ils vont décapiter ton régime. En supprimant toutes ses têtes. Sans en excepter une.

Il essayait de ne pas me croire, mais il me croyait. *Sans en excepter une.* Sa pensée fulgura : *La mienne aussi !*

— Bien sûr, dis-je.

Une marée montante de panique noya son esprit. Il lutta pour la contrôler. Il ne pouvait plus réfléchir lucidement. Il avait peur de la mort. Terriblement peur. Il suait.

Je le laissai à son combat. Quelques instants. Je savourais. Carmel aussi.

Puis je le tuai.

184

CHAPITRE XVI

Le navire émergea de l'espace 2 à proximité de Terra.

Un navire superbe. Maniable, rapide et remarquablement armé. Carmel et moi avions volé cette petite merveille au cosmoport d'Enfer.

Nous nous en étions sortis vraiment facilement. Et sans une égratignure. En laissant derrière nous un sillage de morts.

Durant notre voyage dans l'espace 2, nous étions restés sans nouvelles. Je branchai le transmetteur et captai les informations.

Terra était en pleine révolution et les MA en pleine désorganisation.

La population terrienne avait suivi les voix qui l'appelaient à la révolte. Elle était en train de balayer, très activement, les occupants.

Les MA avaient autre chose à faire qu'à expédier des renforts. Ils en étaient encore à tenter de mettre sur pied un gouvernement provisoire. L'ancien n'existait plus. Ça posait de très gros problèmes, sans solutions immédiates.

Les Ligueurs d'Ansée voyaient la chose en

faisant très peu de commentaires. Dans le privé, ils devaient se frotter les mains. Ils avaient été contraints à une paix pas du tout avantageuse.

L'Union des Planètes Libres avait déjà proclamé sa neutralité. Comme toujours, elle observerait. De très loin.

— Eh bien, dit joyeusement Carmel, on dirait que tout marche comme sur des roulettes.

— Ça ira encore mieux dès que les nôtres commenceront à arriver.

Selon les plans, tous les mutants, une fois leur objectif atteint, devaient se regrouper sur Terra.

Je pris les commandes du navire.

— En route, Carmel. Allons les aider à terminer le nettoyage.

Achevé d'imprimer en septembre 1988
sur les presses de l'Imprimerie Bussière
à Saint-Amand (Cher)

— N° d'impression : 5653. —
Dépôt légal : octobre 1988.

Imprimé en France